日野 草

殺し屋の約束

実業之日本社

目次

殺し屋の約束

第一話

ギフト――２０１９年

1

焼き立ての祖父の骨はぱきぱきと鳴っていた。可愛い音だと思った。目が開いたばかりの子猫の、足音みたいに無垢（むく）。

「良かったね、おじいちゃん。人生の最後にこんなに可愛くなれて」

わたしは、火葬場の収骨室ではっきりと口に出してそう言って、親戚たちの顰蹙（ひんしゅく）を買った。だが祖父なら、きっと朗らかに笑ってくれたことだろう。

火葬場の係の人が骨壺（こつぼ）に頭蓋骨を収めたとき、その通りだと言うように祖父の骨はまたぴしっと鳴いた。

祖父の遺骨は今、一緒に暮らしていた自宅の仏間にある。もう冷めてしまったから、骨は静かだ。

葬儀から二時間後、わたしは表参道にいた。夕暮れの光よりも眩（まぶ）しい表参道ヒルズの前を足早に通り過ぎる。時代が平成から令和に移り、即位の礼が開かれたばかりの街は、祝賀ムードに包まれている。

待ち合わせ場所である喫茶店は通りから一歩入ったところにあった。パンケーキが有名なガラス張りの店は、外から中が丸見えだ。

店内のテーブルの半分を、カップルか三人連れ以上のグループが埋めている。

シングルの男性客は一人しかいない。窓際の席でタブレットに指を滑らせている、黒髪の青年。

クドウさん。

どんな字を書くのかも、下の名前も知らない。

だけど名前よりも、その容姿が彼の人となりを充分に語っている。

自然な流れを描くまっすぐな髪は漆黒で、着ているシャツの白い襟とは対照的だ。藍色のパンツを穿いた脚を優雅に組んで、無難な茶色い革靴の爪先をこころもち、揺らしている。

歳はわたしよりも四、五歳上だろうか。目元は被さった髪に隠れて見えないが、すんなり伸びた鼻筋の先で微笑む口元が優しげだった。

「おまえの誕生日に、プレゼントを用意したから」あと数日の命と診断された病室のベッドで、祖父は酸素マスクを口からわずかに離してそう言った。ちなみにそのとき、宣告された余命から三日が経過していた。「びっくりするプレゼントだ」

祖父は黙っていられない性格だった。プレゼントの中身を、渡す前にバラしてしまう。わたしは子供の頃からそんな祖父の無邪気な性格が好きだった。いつもワクワクしながら聞いた話の、けれど、これが最後なのだと涙を堪(こら)えながら耳を傾けた。

「それを受け取りに行くの？　わたしが？」

わたしの誕生日――その日まで、祖父は生きているだろうか。

不安に揺さぶられて、わたしは混乱していた。

「行ってくれ。手帳の、栞(しおり)が挟んであるところだから……」

祖父は枕元のスケジュール帳を指さした。

今月の頁(ページ)を開くと、わたしの誕生日の欄に『表参道』『ル・スクレ』『午後四時』『クドウさん』と走り書きしてある。

理解したことを告げると、祖父は目を閉じて長い息を吐いた。それが、わたしと祖父が交わした最後の会話になった。

葬儀の準備に追われながら、わたしは祖父の手帳にある店をインターネットで検索した。

『ル・スクレ』という店は表参道にある、パンケーキが有名なカフェだった。

わたしの誕生日を知っている大学の友人たちは、夜に食事をしに行こうと誘ってくれた。わたしは上手な言い訳が思いつかず、祖父から預かった遺言のことをぼやかしながら伝えた。友人の中には、もしかしたらおじいちゃんがお見合い相手を用意してくれたんじゃないの、と冗談ぽく言う者もいた。

わたしは両親と妹を子供の頃に亡くし、祖父母に育てられた。祖父母には、わたしの母である娘しか子供はいない。祖母は四年前に癌で他界し、最後に残っていた祖父もこの世を去った。

わたしには早くから恋人がいた。初めて彼氏ができたのは中学生の頃、ひとつ上の先輩だった。受験のストレスを暴言に替えてわたしにぶつける男だった。そいつとは、受験が成功したのをきっかけに別れた。次は高校に入学してすぐ、相手はその学校の数学教師だった。人目を忍ぶ恋は楽しかったが、彼には本命の恋人がいて、子供ができたので結婚すると言われ、離れることにした。

大学生になってからも相手はいた。似たり寄ったりの、女を装飾品としてしか見られない男どもだった。誰とも長くは続かない。それを嘆いたことはなかった。そんな男たちを見せるわけにはいかなかったので、祖父に紹介したことはないが、高校からおなじ大学に進んだ友人の中には、わたしが恋愛下手なのを気にしてくれる者もいる。あの友人がクドウを見たら、きっと笑顔になってわたしの肩を叩くことだろう。

店のドアを開けた。

高いベルの音と共に、店員が「いらっしゃいませ」と声をかけてくる。

「待ち合わせです」

店員にそう返したとき、視界の隅でクドウがタブレットから顔を上げた。

できるだけゆっくりとクドウに視線を向ける。

外から見たときよりも幼げな、純朴な顔立ちだった。切れ長の目が温かい。

わたしと目が合うと、一瞬遅れてクドウは立ち上がり、礼儀正しい笑みを浮かべた。

祖父から聞かされた話が蘇(よみがえ)り、わたしの中に静電気のような緊張が走る。

それを表に出さないようにしながら、わたしはテーブルに近づいた。

クドウは丁寧に一礼した。

「赤澤咲子(あかざわさきこ)さんですか。はじめまして」

「クドウさん、ですよね?」

「ええ、クドウです。久しいという字に遠いと書きます。どうぞお座りになってください」

すすめられるままに腰をおろした。

久遠、と書くのだろうか。

なかなかに美しい字面だ。ついうっかりと、その苗字(みょうじ)になった自分を想像してしまう。

テーブルに着くと、久遠がメニュー表を差し出してくれた。

わたしは久遠の手を観察した。久遠の手は大きく、血管が目立っていたが、指はすらりと長い。

「何にします？　ここのパンケーキはおいしいらしいですよ」

「……じゃあ、このオリジナルというのを。あと、温かい紅茶を」

「いいですね。僕もおなじのにしよう。それとコーヒーかな」

久遠は店員を呼び、注文を伝えた。店員に対しても、穏やかな態度で接している。

店員が去ると、久遠は改めてわたしと向かい合った。

「今日は、お誕生日だそうですね」

「はい。おじいちゃんから聞いたんですか？」

「ええ。プレゼントの件を」

「じゃあ、祖父に会ったんですね」

「もちろん。それが僕たちのルールだから」

意味ありげに言われて、わたしは久遠を見つめた。久遠は瞳に水面のような静けさを浮かべて、見つめ返してきた。

店員が近づいてきて、グラスに入った水が置かれる。店員が立ち去ってから、久遠は切り出した。

「基彦(もとひこ)氏が亡くなったのは残念です。でもあの方は、ご自分が咲子さんの誕生日まで生きられないと知っていた。だから、このプレゼントをご用意なさったんです」

わたしは無言で久遠を見つめ続けた。

久遠も目を逸らさなかった。温かな黒目のうしろに、もうひとつ眼が隠れていて、わたしの心を見透かそうとしているようだった。

久遠は穏やかに告げた。

「僕は殺し屋です。あなたのおじいさまの弥津基彦氏から、十一年前にあなたのご両親と妹を死なせた犯人の殺害を承りました。ただし、実行するには条件があります。事故当時、未成年だった犯人を殺すかどうかの最終決定は、あなたにお任せしたいと」久遠は微笑みを挟んで、付け加えた。「……ごめんなさい。驚きましたよね」

わたしは息を吸い込んだ。

「いいえ。知っていましたから」

久遠の瞳が揺れた。

「……なぜ?」

「おじいちゃんから聞きました。亡くなる前に、わたしの誕生日に殺し屋を用意したって」

そのときの祖父の言葉がわたしの頭の中で回る。あのとき、わたしがどんなに驚いたか、祖父は想像できただろうか。今わの際に殺人者を寄越すほどの憎悪を、あの人が隠していたことが。

「なんだ、そうだったんですか」久遠はおどけた仕草で周囲を見回した。「まさかとは思いますけど、今日は刑事さんがご一緒ということは？」

わたしは噴き出してしまった。

「ありません。誰にも言うなと、祖父に念押しされていますから」

わたしたちは笑い合った。傍から見たら、恋人同士そのものだったことだろう。

声が収まると、久遠は言った。

「お誕生日おめでとう、咲子さん」

微笑む殺し屋の目は優しかった。

2

森下多郎。

それがわたしの家族の命を奪った犯人の名前だと、久遠は教えてくれた。

十一年前、クリスマスイブの前夜、両親は体調を崩した妹を車で病院に連れて行った。家にはわたし一人が残ったが、近くに住んでいた祖母が来て泊まってくれた。

電話が鳴ったのは日付が変わる頃だったと思う。わたしはもう部屋を暗くして眠っていたが、電話のベルは夢うつつに聞こえていた。それから家の中がばたばたし、祖母に着替えさせられ、いつの間にか来ていた祖父と三人でタクシーに乗り、病院へ連れて行かれた。

救急病院の病室に、たくさんの機械に繋(つな)がれたわたしの家族三人がいた。その夜のうちに妹が、翌朝に母が、そして二日後に父の心臓も止まった。

三人は病院へ向かう途中の十字路で、信号を無視して横から飛び出した車にぶつけられたのだ。わたしの家族が乗った車は横転し、相手の車も破損したが、運転手が壊れた車からさっさと逃げてしまったために通報が遅れた。逃げた運転手は当時十八歳の少年で軽傷。のちに逮捕されて罰を受けたが、未成年だったから量刑は軽かった。

それからわたしは母方の祖父母に育てられた。

裕福で優しい祖父母に守られた環境は、文句のつけようもなく幸福だったと思う。適度な甘やかしと必要な躾(しつけ)を受け、欲しい物はよほどのことがない限り手に入った。祖父の遺言は完璧で、財産管理人からは贅沢(ぜいたく)さえしなければ一生暮らすのに不自由はないと言われている。

けれどわたしは、両親と妹を亡くして以来、一度もクリスマスを祝えたことがない。

「こちらを見てください」

クドウは伏せていたタブレットと、ワイヤレスイヤホンを差し出した。

わたしがイヤホンを耳に入れると、すぐに動画が始まった。

白い壁を背景に、今は亡き祖父の姿が映し出される。祖父はイスに座っているようだ。上半身しか映っていないが、背もたれが見える。

画面の外から久遠の声がした。

「それでは、お名前と依頼内容をお願いします」

祖父はあらかじめ用意していた台詞（せりふ）を読み上げるように滔々（とうとう）と言った。

「私は弥津基彦、八十二歳。十一年前、私の娘夫婦と孫を事故に遭わせた犯人の殺害を依頼したい。ただし、最終的に殺すかどうかは、生き残った孫娘、咲子に委ねる。よろしく頼む」

「なぜ、お孫さんに判断を任せるのですか？」

「咲子は今年、成人だ。長いあいだの苦しみに、あの子自身の手で決着をつけさせてやりたい。自分で選ぶということが大事なのだ」

「承知いたしました。最後に確認いたします。この依頼は、あなたの意志ですか？あなたは誰かに脅されたのではなく、ご自分で決めて、ここにいらしたのですね？」

祖父はぐっと顎を引いた。

「もちろんだ。脅迫されてないし、薬物も使われていない」祖父はイスに腰かけたまま強く両手を握った。「完全にわたしの意志だ」

「ありがとうございます」

靴音がして、画面の手前から久遠が現れた。グレーのセーターと黒いパンツといういでたちのせいで、寄宿学校の生徒のように見える。

久遠は祖父に右手を差し出した。

祖父はその手を握った。

久遠の長い指が、祖父の節が目立つ指をくるみ込む。わたしには祖父の手が久遠の手に飲み込まれたように見えた。

「ではこれで、ご契約は成立いたしました」

久遠の言葉と同時に、映像は途切れた。

わたしはイヤホンを抜き取り、タブレットの上に置いた。

「と、いうわけです。代金は――」

久遠が言葉を切ったので、わたしは振り返った。さっきとおなじ店員が、注文した品を運んで来るところだった。久遠がタブレットを引っ込めた。

「……代金は、すでに基彦氏から頂戴していますちょうだい。じゃあ、いただきましょう」

久遠は自分のぶんのパンケーキを切り分けた。シロップをかける仕草も、フォークを口元に運ぶ動きも、音楽の指揮をするように優雅な手つきだ。

この手で人を撃ったり、切ったりするのだろうか。血を吸い込んだことがなさそうな、まっさらな指をしているのに。

「あなたは、人を殺したことがあるの？」思わず尋ねた。

「仕事ですから。何度か」

「どうして殺し屋になったの？」

久遠は二切れ目を口に運ぶ手を止めた。

「ごめんなさい、不躾でしたね」

「いいえ。ただ、質問の順番が……その問いかけが先なんだな、と思いまして」久遠は素早く微笑み、すぐに平静になった。「お答えしますとね、僕が殺し屋になった理由は『家業だったから』です」

わたしは目を瞬いた。

家業？　殺し屋の家系ということだろうか。

「僕は親の仕事を継いだだけ。だから、歳は若いですが、殺しの技術は達人級です。なにしろ半世紀以上に亘って培われた技を伝授されているんですからね」

わたしは居心地が悪くなった。そんな、伝統芸能を語るように人の命を奪う話をされても困る。

「それに、ルールも継いだ。僕の家族がずっと守って来た、仕事上の約束。これが五つある。僕も絶対に、ルールを守ります。だから安心してお任せください」

それは何かと訊く前に、久遠は指を折って説明を始めた。

「ひとつ、依頼人には必ず会うこと。ふたつ、殺すときはできるだけ苦しませずに。そして三つめ。これはとても難しいことなのですが——相手が絶命するまで、その目を覗き続けること」

「……それ、心が大変じゃないですか」

自分が心臓を刺した、あるいは首を切り裂いた相手の、消えていく命を最後まで見守れというのか。そんなこと、たった一度でも気が狂いそうだ。

久遠は瞑目した。祈っているように見えたのは、続いた言葉の密やかな響きのせいだったかもしれない。

「人を殺すのに、楽をしようだなんておこがましい」

得体のしれない感情に打たれたわたしは、残りのふたつについて訊くのを忘れた。


久遠は三切れ目を静かに噛んだ。

「それにしてもなぜ、あなたが森下を殺す判断を下すという部分に驚かないのですか？　それも聞かされていた？」

そうだとわたしは答えた。

久遠は拗ねた様子で首を捻った。

「基彦氏はおしゃべりだな。口止めをしておいたわけじゃないですけど、そういうのって簡単には言わないものなんじゃないかな」

もっともだ。だが殺し屋は、祖父がわたし以外の人間に打ち明けているかどうかは気にしなかった。

淡々と段取りを説明する。

森下多郎は現在、軽井沢でペンションを経営している。わたしは住み込みのアルバイトとしてそこへ行き、三日間を過ごす。三日目の夕方、日の入りの時刻に久遠から連絡が入るので、そのときに決断を伝える。それまでは久遠と連絡は取れず、もし途中でわたしが逃げ出すようなことがあれば、その時点でこの依頼は破棄されるそうだ。

「受けますか？」

「もちろん」

久遠はふんわりと笑った。

「ありがとう。仕事になって良かったです」

3

二日後、わたしは大宮駅から新幹線で軽井沢へ向かった。もともといいところのお坊ちゃんで甘やかされて育ったらしいとは聞いていた。事故当時、彼が乗っていたのはトヨタクラウン。十代の少年が乗り回すには重厚な車だったが、あれは森下が運転免許を取った記念に親が買い与えたものだったそうだ。

しかし事故後、森下は実家から勘当されている。手切れ金代わりに、今のペンションを与えられたとのことだった。

新幹線の車内で、わたしは久遠から渡されたものを確かめた。

森下のペンションで働くための手筈（てはず）は久遠が整えてくれた。わたしが名乗ることになる偽名は宮藤美花（くどうみか）。高校を卒業後、アルバイトを転々としている千葉県出身の女性という設定らしい。

久遠によると、苗字の発音を自分と同一にしたのは、無関係な名前だとぼんやりしているときに呼ばれたら、うっかり返事をし損ねる危険があるからだそうだ。だから知り合いの名前がいい。それも久遠とおなじ音節なら、わたしの現実の友人知人に迷惑はかからないし、わたしの反応も素早くなるとのことだった。

新幹線は四十分足らずで軽井沢に着いた。

荷物を持って、駅に降りる。

清浄な空気に包まれながら、これがただの旅行だったら良かったのに、とちょっと悔しくなった。

森下のペンションから迎えが来ることになっていて、待ち合わせは午後一時。だがわたしは、それより一時間早く着いていた。これも久遠の配慮だ。わたしは軽く昼食を取り、駅前のベンチに座って久遠から渡されたスマホをいじった。

宮藤美花のスマホだ。架空の人物であるのに、カメラロールもＳＮＳにも、十代後半の少女らしさが溢（あふ）れている。写真は街中で撮ったものが多いが、さすがにわたし自身は写っていない。その代わりに、おなじ年頃の少年少女の明るい笑顔が散見された。きっとネットに落ちていた画像を勝手に拝借したのだろうが、これなら万が一に中身を見られても疑われない。

午後一時が近くなると、わたしは顔を上げて周囲に注意を払った。

待ち合わせ時刻ちょうど。

一台の白いワゴン車が、駅前ロータリーに滑り込んで来た。車体には鮮やかなグリーンの字体で、Ｐｅｎｓｉｏｎ　Ｍｏｒｉｓｈｉｔａと書かれている。

わたしの体が強張（こわば）った。

運転席の人影は女性で、森下多郎ではない。しかし、だからこその動揺なのだ。

「宮藤美花ちゃん？」運転席の窓が開き、明るい声が飛んできた。

覗いた顔には、笑顔があった。笑い皺が日を引く、小さな顔の女性だ。長い髪をひとつにまとめて、白いパーカーを着ている。化粧は薄く、ほとんどしていないといっていい。だがその素朴さこそが華やかな、可愛らしいひとだった。

この人は幸せな人生を生きている。そんな直感がわたしの胸に、痛みとなって突き刺さった。

「……こんにちは」

車に近づくと、女性は車のうしろを指さした。荷物をトランクに入れろということだろう。その通りにして戻ると、助手席のドアが開いた。

見えない手に押されるような圧迫が心にのしかかってくる。覚悟はして来たはずなのに、この緊張に耐えるのは大変なことに思えた。これは凄まじい三日間になる。だが、必ず、最後まで逃げてはいけない。

わたしは心を固めてから、助手席に乗り込んだ。

「待たせちゃった？」

慣れないカーフレグランスの匂いに辟易していると、運転席の女性が快活に訊いて来た。

わたしは笑顔を作り、答えた。

「いえ、今来たところです。あの、今日からよろしくお願いします」

「こちらこそ。森下フミナです」

その名前に、胸の痛みが深くなった。

森下多郎には妻子がいる。妻の名前は文奈。しかも、文奈とは事故当時からつきあっていたと、久遠から聞いた。

親とは絶縁したが、森下には恋人を捨てなかった献身的な女が残ったのだ。それはいちばん、もしかしたら血が繋がった肉親よりも、残って欲しくなかったものかもしれない。

「美花ちゃんて呼んでもいい？」

「はい」

文奈の声は弾むように無邪気で、一方わたしは、内面の葛藤を隠すために力を振り絞らなければならなかった。

他愛ない会話を交わしながら、久遠がわたしを潜入させるためにどんな『手配』をしたのか探ろうとした。どうやらニセモノのわたしと電話でやりとりまでしたらしい。電話で聞いたときより声が若いねと文奈に言われた。わたしのニセモノは、殺し屋の手伝いをするとは知らずに協力した人物なのか、それとも久遠の家族の誰かなのか。

興味はあるが、わかる日は来ないのだろう。

車は三十分ほど走り、窓の外が紅葉ばかりになった頃、文奈が前方を指した。

「あの緑の屋根よ」

錆色(さびいろ)の木々の隙間に、春の芽のような柔らかい緑が覗いていた。西洋の教会を思わせる三角屋根である。近づくにつれて建物の全容が見えて来た。戸建て住宅というよりは、小規模な学校のような、白い板壁の建物だった。

広い庭の出入り口に、『Ｐｅｎｓｉｏｎ　Ｍｏｒｉｓｈｉｔａ』の看板が出ている。もっとこぢんまりした施設を想像していたわたしは驚いた。

「すごいですね」

「見た目ほどじゃないの。半分は私たちが暮らすスペースだし」

車を降りたわたしは、改めて心を整えた。これから会う相手を前にして、叫んだり摑(つか)みかかったりしないためだ。心の奥底で燃える感情に、わたしは自制という名のカバーをかけた。

「今の時間帯はお客さんいないから、気楽にしてて」

文奈はわたしを宿泊客用のダイニングルームに案内した。日差しがふんだんに注ぐ二十帖(じょう)ほどのスペースの窓際に、四人掛けのテーブルが四つと、二人掛けのテーブルがふたつ。部屋の片隅の暖炉の前には、絨毯(じゅうたん)とソファが置かれ、奥にはオープンキッチンが見える。

「あれ、どこ行ったんだろう」文奈はきょろきょろと見回し、キッチンの横にある扉を開けて叫んだ。「宮藤さんが来てくれたよー、多郎くーん」

その名前を聞いたわたしの腹底が熱くなるのと同時に、太い男の声の返事があり、足音が近づいて来た。

「お待たせ。ごめん、ユウヤの相手をしてて」

鳥肌が立った。

太い男の声も、文奈の口調とおなじで、とても明るい。

「宮藤さん？」

わたしは振り向いた。ぎこちなかったかもしれないが、取り繕う余裕などない。

そこに、森下多郎がいた。

白髪になる歳ではないはずなのに、髪はところどころ淡い色になっている。背は高いが、全体的に肉がついているので、迫力はない。頬は緩み、温和な印象を受ける。

わたしの家族の命を奪った男は、ちっとも凶悪な人相をしていなかった。

「どうも、森下です」ぐいと頭を下げる。

わたしもお辞儀をしたが、下げた頭は熱を持っていた。

「宮藤です」名乗ったとき、わたしはその名前の効能を実感した。これはわたしの選択によっては森下の命を奪う男の名前でもあるのだ。どんなに複雑な感情が渦を巻いていたとしても、ただそれだけで、わたしは森下の生殺与奪を握っている事実に縋ることができた。

足音がもうひとつ、ダイニングルームに駆け込んで来た。

「おっ」森下の視線がわたしから離れる。

わたしは姿勢を戻した。

十歳くらいの男の子が部屋に飛び込んで来たところだった。

男の子は何かを言いかけたが、わたしを見て息を呑み、ぺこりと頭を下げると走って行ってしまった。階段を駆け上がる足音が続く。

「ちょっとユウヤ！　挨拶は？　まったくもー」

文奈がやれやれと頭を振る。

わたしの頭には、悠哉、という字面が浮かんでいた。久遠から教えられたものだ。

「ごめんね、美花ちゃん。今のがうちの息子の悠哉。人見知りしてるだけだから、気にしないで」

紹介が済むと、森下はその場に残り、文奈が二階に案内してくれた。

ＳＴＡＦＦ　ＯＮＬＹの立札が置かれた廊下の角を曲がった奥、突き当たりにあるドアが、わたしにあてがわれた部屋だという。

廊下の途中には下へ続く階段がある。

「この下は……？」

「わたしたち家族の生活スペース」

足拭きマットを踏んで中に入った。部屋は五帖くらいの広さだった。ベッドとたんす、テーブルとイス。扉の正面にある窓の外には色づいた山々が見える。

「食事やなんかはさっきのダイニングルームで取ることになるわ。お風呂もお客さんと共用。お客さんが使ったあとに入ってもらうことになるけど、もちろんお湯はいったん抜いて、入れ直してくれていいからね」

文奈から仕事について説明を受け、わたしはとりあえずここでの暮らしに慣れることを優先した。

午後三時になると、文奈はキッチンで夕食の下ごしらえを始め、わたしはそれを手伝った。おなじ頃、森下はペンションのロゴ入りのワゴン車で駅に向かった。お客さんを迎えに行くのだと言う。悠哉の姿は見えなかった。

今夜の宿泊客は全部で十一人。最大で二十人が泊まることができるが、平日はこんなものらしい。連泊しているのは紅葉をスケッチしに来た美大生の男だけで、あとは一日だけの過客だ。

「ご家族だけでやってるなんて、すごいですね」野菜を刻みながら、わたしはさりげなく水を向けた。「お二人とも、このあたりのご出身なんですか？」

「ううん、わたしも多郎くんも東京なんだけど。田舎暮らしに憧れたっていうのかな。こういう生活がしてみたかったの」

文奈は淀みなく返した。

森下の車が戻ってくると、ワゴン車からはどやどやと客が降りて来た。途端にわたしは忙しくなった。途切れなく手を動かしていると、いつの間にか夕食ができあがっている。賑やかなダイニングルームを動き回る経験は新鮮だった。

祖父母と食べる夕食はいつも静かだった。会話はあるし、テレビもつけていた。けれどそれらの音が侵入できない、厚いガラスのドームがわたしたちを覆っていた。祖母はいつも自分たちが食べる前に仏壇に陰膳を供えたが、そのときに鳴らすおりんの音が否応なく欠けた家族を思い起こさせたからだろう。祖母の死後は、わたしが夕食を作ったが、この習慣は引き継いだので、二人きりになった食卓はいよいよ寂しかった。

お客さんたちの食事が終わると、文奈と森下は家族のスペースに引き上げていった。悠哉と一緒に食べるのだろう。わたしは用意された自分のぶんの夕食を、ダイニングルームに残って食べた。

テレビをつけていいと言われたが、なんとなくその気になれず、一人で箸を動かしていた。この日のメニューは生姜焼きと茹で野菜、それに近隣で獲れた川魚のマリネにデザートのプリンがつく。ごはんは少なめでいいと言ったのに、お碗に盛られた米は小山を作っていた。おいしそうだし、実際、おいしいのかもしれない。だからこそ味を感じたくなかったわたしは、おかずをできるだけ細かくほぐして、ごはんと一緒に喉の奥に押し込んだ。

そうしていると、小さな足音が聞こえてきた。

「あ」

現れたのは悠哉だった。はっとした表情を浮かべて、ドアの脇で固まっている。

わたしは座ったまま浅くお辞儀をした。

「こんばんは」

悠哉の目に警戒と落胆が過った。警戒はともかく、なぜがっかりされるのかわからない。テレビを観ようとしたのにわたしがいたからだろうか。

「テレビ、観たかったらいいよ」

わたしが言うと、悠哉は口の中で何かを呟き、キッチンスペースに急いだ。ジュースでも取りに来たのだろうか。でもここは宿泊客用のキッチンなのに。

わたしは悠哉から目を背けたが、気配には注意を払い続けた。

「――あっ」

鋭い一声が上がり、ごとん、と何かが落ちるような音が聞こえた。

わたしは箸を置いて立ち上がった。

「どうしたの？」

背後から覗くと、シンクの下にある生ごみ用のゴミ箱が倒れていた。悠哉はこぼれた野菜くずを拾い集めている。

「いいよ、わたしがやる」

手を伸ばすと、悠哉はぱっと身を引いた。

何かを恐れるようなその様子が、わたしの意識に引っかかった。

改めて床を見る。湿った生ごみの中に、まるめたティッシュペーパーが混じっていた。

わたしはそれを拾った。表面が乾いているところを見ると、長い時間生ごみと一緒にあったものではない。

「……あの」

声をかけてきた悠哉を振り返る。

悠哉はわたしと目が合うと、すぐに逸らした。

「うん？」

何かを考え込んでいる。わたしは彼が喋るまで待つつもりだったが、悠哉は意外に素早く、無言のまま踵を返した。

　一人になったキッチンで、わたしはティッシュペーパーを開けてみた。一口大の大きさの、茹でた人参が三つ収まっていた。今日の夕食の付け合わせである。

先ほどの悠哉の態度と併せて考えれば、答えは簡単だった。わたしは、ティッシュペーパーの中身をゴミ箱に入れると、床に散乱している野菜くずと混ぜ合わせた。ティッシュペーパーはダイニングルームのゴミ箱に捨てた。

　夕食の続きをしていると、文奈が現れた。

　文奈は室内を見回し、あれ？　というような顔をするとわたしに訊いた。

「今、うちの子が来なかった？」

「いいえ。誰も来てませんよ」

「そう……」

　わたしが信用ならないのか、あるいはわたしに気づかれないように悠哉が動いたと思ったのか、文奈は生ごみの箱の蓋を開けたようだった。だがさすがに、手を突っ込んで掻き回したりはしない。食べられたのかしら、と独り言を言うと、戻って行った。

　その夜。

　初めて森下の近くで睡眠をとることになったわたしは、自分の部屋の前にある足拭きマットの下に、外で拾って来た木の枝を置いた。その様子を、久遠からもらったスマホで撮影する。さらにベッドのマットレスを外してドアの内側に置き、そこで眠ることにした。

スパイ映画で得たくだらない知恵だが、そうしておけば外のマットを誰かが踏んだとき、枝が折れる音が聞こえるからだ。どうせ眠りは浅い。そう思っていたのだが、気がつくと朝になっていた。

目覚ましの音で飛び起きた。時刻を確認し、ドアを開けて周囲を見回す。廊下の空気はまだ夜の色をしていた。午前五時では、さすがに建物内に動いている人間の気配はない。

マットの下から仕込んでおいた枝を取り出す。すると、わたしの頭から眠気が吹き飛んだ。

枝を手に部屋へ戻り、昨夜撮影しておいた写真と比べる。

枝のもっとも太いところが、裂けるように折れていた。


宿泊客たちは朝食を済ませると、ばたばたと旅立って行った。連泊している美大生の男もスケッチブックを抱えて出かけたので、ペンションの中はわたしたちだけになった。

「ちょっと買い出しに行ってくるね。これおやつ、適当に食べて。あとこっちは悠哉のぶん。多分わたしがいないあいだに帰って来ると思うから、あげてね」

文奈がわたしにそう言ったのは、ダイニングルームで昼食を終えたときだった。おやつにと用意されたのは文奈が手作りしたアップルパイだが、文奈はふたつとも宿泊者用のキッチンにある冷蔵庫にしまった。おやつだけは悠哉も宿泊者用のスペースで食べるということだろう。

そのままダイニングルームの掃除を続けた。文奈が出かけて三十分と経たないうちに、建物の裏手で物音がした。家族用の玄関のほうだ。耳をすましていると、昨夜聞いたのとおなじ小さな足音が近づいて来た。

ドアが開くまで、わたしは気づいていないふりをした。

「……こんにちは」

遠慮がちな声が聞こえたところで顔を向ける。

悠哉が立ってこちらを見ていた。

「あ、おかえり。おやつあるって」

冷蔵庫からアップルパイを取り出し、テーブルに置く。悠哉はゆっくりとダイニングルームに入った。

深刻な表情を浮かべているが、あえて無視する。

掃除に戻ろうとしたわたしを悠哉が呼び止めた。

「あの……」

わたしは振り返った。

「うん？　なに？」

悠哉は水中に潜るときのように息を吸うと、

「ありがとうございました」

と、大きな声で言った。

「え、何が？」

「昨夜の、お礼、人参……」

昨夜、自分が食べられなくて捨てた人参のことを、文奈に黙っていてくれてありがとう。

そう言いたいのだろうが、うまく言葉をまとめられないようだ。

「いいよ。わたしにも嫌いなものくらいあるもん。……嫌いなだけだよね？」

尋ねると、悠哉は瞬きをしてしばし考えた。

それからこくりと頷く。

「うん」

わたしは笑顔になった。

特別な理由のない、ただの好き嫌いであることを恥じているその様子は、実に子供らしかった。

昨夜、わたしの部屋の前に来たか。一瞬そう訊きそうになり、わたしは口を噤んだ。子供は案外に鋭いところがある生き物だ。わずかでも悟らせるようなことをしてはいけない。

悠哉がテーブルに着いたので、わたしはココアを淹れてやった。悠哉の態度は柔らかくなり、アップルパイを食べながらちらちらとわたしを見た。

食べ終えると、わたしのそばへ来て問いかけた。

「あのさ、ママは何時ごろ出かけた?」

「二時ちょっと前くらい」

悠哉は考え込むように時計へ目を遣った。

それから何かを決意した顔になり、わたしを見上げる。

「ちょっと来て」

悠哉に連れられて向かったのは、ペンションから五、六分歩いたところにある納屋だった。

かつて畑だったのであろう平原の片隅の、白樺林に寄り添うように残っている。

遠目にはしっかりと建って見えたが、近づくと板壁はあちこち穴が開き、屋根の一部は崩れていた。それでも打ち捨てられた場所というわけではなく、その証拠に、木製の電信柱から伸びたコードが軒先の電球に繋がったままだ。

わたしは悠哉に続いて壁の穴をくぐった。

見た目以上に内部は雑然としていた。

古い農機具や崩れた棚、落下した屋根の一部があたりを迷路のように埋めている。足元は地面が剝き出しになっていたが、そこには木くずや錆びた金属片が散らばっていた。柱には、錆びついた刃を上向けて立てかけられた鋤まである。

危ないものだらけなのに、悠哉は気にすることなく歩いて行く。ついていくと、小さな音が聞こえた。わたしの心に動揺が走った。祖父の骨が立てた音の幻聴かと思ったのだ。

「見て」

悠哉が指さした先には、本物の子猫がいた。

比較的きれいな壁の下に、三匹、寄り集まっている。黒が二匹と茶色の縞模様が一匹。やっと目が開いたばかりで、ピンク色の鼻がひくひくと動いている。

「親もいるんだけど、たぶん餌を獲りに行ってる」

悠哉は壁の一方を指さした。

地面との境目に、猫ならば通れるくらいの穴がある。

わたしが子猫に近づくと、悠哉が牽制(けんせい)した。

「触っちゃだめだよ。人の匂いがつくと親が子猫を捨てちゃうんだ。どんなに可愛くても、触るのは人間のエゴなんだ」

やけに大人びた口調だった。

「触らないよ。見てるだけ……。でもすごいね、どこでそんなこと覚えたの？」

「パパだよ」

悠哉が猫に目を移したのは幸運だった。わたしは自分の表情がひび割れるのを感じたからだ。

「うちはお客さんがたくさん来るから猫は飼えない。餌をやったら、親猫が自分で餌を獲らなくなるから、それもできないんだ。でも見てるだけならいいって」

わたしは少し考え、自分の声の調子に注意しながら訊いた。

「パパにもこの子猫は見せたの？」

悠哉は頷いた。

「そうなんだ……」

わたしは長く息を吐いた。心に溢れる思いを言葉にすることはできない。叫び出してしまわないように、わたしはひたすら胸の嵐が鎮まるのを待った。

「もう戻ろう。ママが帰って来るよ」

だいぶ時間が経ってから、わたしは声をかけた。心を掻き乱す暴風は、外から聞こえる葉擦れの音と区別ができないくらいわたしのなかで騒（ざわ）めいていたが、優しい声を作ることはできた。

悠哉はおとなしく立ち上がり、納屋を出た。

帰り道、わたしたちは手を繋いでいた。

その夜のことだ。

片づけを終えたわたしはペンションの庭に出た。時刻は九時を過ぎたくらいで、ペンションのダイニングルームでは泊り客同士が酒を飲みながらトランプを楽しんでいた。

窓の明かりを背に、わたしは昨夜、枝を拾ったあたりで立ち止まった。

地面には枝がたくさん落ちている。

そのなかの一本、昨夜足拭きマットの下に入れたものによく似たのを見繕って、わたしは枝の太いところに乗ってみた。硬い床と柔らかい地面の差はあるだろうが、かなりの力で踏んでも枝は折れない。踏みしめると、やっとみしっと音を立ててヒビが入った。

枝を手に取り、割れ方を観察する。ぽっきりと分断されるのではなく、樹皮を残して内側が砕けたような折れ方だ。今朝、マットの下から取り出したときの破損によく似ている。やっぱり、と思って枝を放り棄てたとき、わたしはペンションの玄関が開く音を聞いた。

現れた人影は男性だった。森下ではない。夜は肌寒いというのに、シャツを一枚だけ羽織った逞しい体を夜風に晒し、癖のある長髪を草のようになびかせている。

連泊しているという美大生だった。

男は庭を横切って、垣根の縁まで来た。その方向には昼間、悠哉と訪れた納屋がある。明るい時間帯なら荒地の向こうに納屋が見えるかもしれないが、今は真っ暗で、望むことはできない。

オレンジ色の光が、ぽっ、と男の口元に灯った。タバコに火を点けたのだろう。遠目に浮かび上がった横顔の視線が、まぎれもなくわたしに向けられているのを確かめて、わたしは男のそばへ歩み寄った。

近づくと、男は体ごとこちらを向いた。

わたしは男が腕を伸ばしてもぎりぎり届かないあたりで立ち止まり、挨拶をした。

「こんばんは」

「……こんばんは」

湿り気のある、低い声だった。

こんな声だったら話しかけられたときに警戒するだろうと、表参道のカフェで向かい合った殺し屋らしからぬ青年の笑顔と引き比べる。

しばらく間を置いて、わたしは言った。

「あなたが、祖父が雇った二人目の殺し屋ですね」

男はふっと笑った。

タバコの甘い匂いがわたしを包んだ。

「知ってたんだ。ま、そうだと思ったけど」

そう言って深くタバコを吸ったので火口が明るくなり、男の顔をはっきりと照らしだした。歳はわたしとおなじくらいだろうか。大きな二重の目なのに、人の顔を抉(えぐ)るような迫力がある。久遠の静かな眼差しが恋しくなった。

祖父の言葉を思い出す。

許せないのだ、と祖父は苦しい息の下で言った。あの事故の犯人を。だがそれ以上に、森下に家族がいると聞いたとき、私は森下の息子をこの世から消さなければと思った。恐ろしいだろう、私も恐ろしい。おまえにまでその咎(とが)を背負わせたりはしない。おまえには、もっとも正当な獲物をあげる。子供を殺し、地獄へ行く罪は、わたしのものだ。

その掠(かす)れた声は今もわたしの脳に焼きついている。初めて聞いた祖父の、恨みででてきた暗い炎の声だった。

「あのじじいが喋ったのか。おしゃべりだなあ。でも、あんたは何でそれが俺だとわかった？　泊り客なら他にもいるだろ」

「枝が折れていましたから」

男は大袈裟(おおげさ)に顎を反らした。

「森下があんたの正体に気づき、殺そうとして、夜中に来たのかも」

「その可能性は低いと思います。森下多郎は今のわたしの顔を知らないし、枝を踏んだのが森下なら、もっとはっきりと折れたはずです。わたしよりは体重が重いけど、森下よりは軽い……そんな人がわたしの部屋の前に来たんです」

わたしの視線は自然と下がり、男の足元を捉えた。重厚なトレッキングブーツに覆われているので、足の形さえ確かめられない。

「ここの子供が乱暴に乗ったのかも」

それはわたしも考えた。でも。

「わたしの部屋の前に悠哉が来るかもしれないって、どうして思うんです？」

さすがに意表を突かれたのだろう。男の目が大きく見開かれ、挑むような視線になった。

わたしの心に直接、圧力がくる。実際に胸倉を掴まれるよりも、精神に負担がかかる感覚だった。この男は久遠と真逆だ。自分が人殺しであることを、目が合っただけで伝えてくる。

「あんた、なかなかだね」男は笑ったが、その笑顔はどこか歪んだ、薄暗いものだった。「そっか。枝を仕込んだのは、あんたのじいさんが雇った殺し屋が宿泊客の中にいるなら、あんたの様子を窺いに部屋の前に来るだろうと考えたんだな」

「いいえ。森下さんに気づかれているかもしれない不安のせいです。でも折れ方を見て、もしかしたらもう一人の殺し屋が、すでに宿の中にいるのかもしれないと思いました」

「頭いいね」

「枝を持ち去らなかったのは、なぜですか」

「あんたの出方を見たかったからな」殺し屋はにやりと笑った。「その賢さに敬意を払って教えてやる。俺はあのガキを見張ってなくちゃならないんだ。明日まではね。この意味、わかるだろ？」

わたしは無言で男を見つめ続けた。

「それまでは、あのガキを生かしておく」

わたしの鼻先に何かが差し出された。タバコが詰まった銀色のシガレットケースだ。

「吸う？　甘いよ」

わたしは殺し屋の顔を見た。

殺意は消え、気さくな目つきになっている。これが普段、彼が被っている仮面なのだろう。久遠とは違い、実に胡散臭い表情だった。

わたしはタバコに手を伸ばした。

ライターの火が差し出される。わたしは顔を寄せて、人殺しの手から火を受け取った。

吸い込むと、確かに甘い味がした。普段街中で擦れ違いざまに嗅がされるタバコの匂いとはまるで違う、チョコレートのような好ましい香気だ。

「……信用するんだね、俺のこと。毒が仕込んであるとか考えないの」

「わたしをどうにかするつもりなら、昨夜、部屋に入って来てると思って」部屋の鍵なんて、殺し屋には何の障害にもならないだろう。「だから、訊きたかったんです。どうしてわざと、わたしに存在を気づかせるような真似をしたのか」

男はさも旨そうに煙を吐き出した。

「森下の息子を殺せっていう依頼を受けたとき、俺思ったのね。なんで森下多郎がターゲットじゃないんだろうって。だって状況を聞いたらさ、メインは森下だろ」

心臓が跳ねた音を聞かれてしまうんじゃないかと心配になり、わたしはタバコを吸った。煙はどこまでも甘く、チョコレートを飲んでいるみたいな気分になる。

「おじいさんに訊いてもはぐらかされちゃって。それで、わかっちゃったんだよね。森下本人の殺しは、俺以外の殺し屋に、すでに依頼済みなんだなって。俺は二番手なんだなって」

男の声は一段低くなった。プライドを傷つけられた怒りが突如、剝き出しになった感じだ。

「そいつの名前、教えてくんない？」

「……聞いてどうするんですか。その殺し屋より先に、森下を始末するの……？」

「そんなことしないよ。仕事はね、だめなの、でしゃばっちゃ。だけど知りたいんだ。俺は誰と、依頼人の恨みを分かち合っているのか」

不意に深みを帯びた声音にわたしの心は揺れた。仕事の話をするときの、久遠の口ぶりとよく似ていたのだ。

わたしの喉をひとつの名前がせり上がってきて、勝手に飛び出した。

「久遠さん」

「久遠だろ」

わたしたちの声は見事に重なり、まるで一人の人間の声のようだった。

「やっぱり、あいつか」

「……有名なんですか」

「そりゃあ、久遠だからな」

その名前はしばらく空気の中に居残って震えているような、不思議な存在感を放っていた。殺し屋たちの世界では大変な名跡(みょうせき)なのかもしれない。それこそ、伝統芸能の世界で受け継がれる名前みたいに。

男は足元にタバコを落として踏み消した。

躊躇(ためら)いつつ、わたしは心に浮かんだ疑問を口にした。

「……もしわたしが、森下を殺さないでと久遠さんに頼んだら、あなたの仕事は？」

「俺のはキャンセルにならない。ただ……」

「ただ？」

「なんでもない。あんたの決定次第では、久遠は仕事をしない可能性もあるわけだし。まあ、そうはならないだろうけど」

私は全身の強張りを隠して尋ねた。

「どうして、そうはならないと思うんですか……？」

「あんたの目さ」後ろ歩きしてわたしから遠ざかりつつ、男は自分の目元を指さした。

「あんた今、自分がどんな目をしてるかわかってる？　ずっと恨んできたやつのことが、もっと憎らしくなったって語ってる」

わたしはタバコを口から離し、明かりが自分の顔を照らさないようにした。

もちろんそんなことをしたって意味はない。

男はさらに遠ざかりながら、頭上を指さした。

「俺の名前は今夜の月とおなじだよ。じゃあね」

腕を下ろすと、わたしに背を向けて行ってしまった。

男の姿がペンションの中に消えるのを見送って、わたしは夜空を見上げた。月を探したが、見当たらない。星だけは落ちて来ないのが不思議なほどある。

その瞬きを眺めているうちに、月が見えない理由に気づいた。

今夜は新月なのだ。

そして新月は、朔(さく)ともいう。

4

昨夜と違い、一睡もできないまま朝を迎えた。

考えても答えは出ず、それでも、わたしは朝から久遠に渡されたスマホを身につけて過ごした。

夜には雨が降るという予報だったが、昼のうちから空は厚い雲に覆われた。空気が湿り気を帯びる。これはもしやと思っているうちに、大量の雨粒が地上を濡らし始めた。

「あーあ、もっと早く買い物に行けば良かった」

恨みがましく首を捻った文奈は自家用車で出かけ、それからすぐに森下も今日の宿泊客を迎えに行った。ペンション内に残ったのはわたしと美大生の男——朔だけとなったが、朔はダイニングルームでスケッチブックを広げ、わたしに話しかけてこない。わたしもまた、自分から朔に話しかけはしなかった。

そうしているうちに、悠哉が学校から帰って来た。

傘をさしてはいたらしいが、下半身はずぶ濡れである。わたしは文奈から、もし悠哉が濡れて帰ったら着替えさせて欲しいと頼まれていたので、家族の居住スペースに行って相手をした。

「これ、ママが用意してくれた服」

森下の家族用リビングは、宿泊客用スペースの半分の広さしかなく、落ち着いた色の家具で統一されていた。室内に漂う平穏な暮らしの空気に気持ちが尖りそうになったわたしは、今すべき作業だけに慌てて意識を向けた。バスタオルで体を拭かせてから、ソファに畳んで置かれていた服を悠哉に渡す。

悠哉は震えていた。

「お風呂も入ったほうがいいよ」

　悠哉は窓を見た。

「猫たち、大丈夫かな……」

「動物は本能があるから、危なくなったら移動するよ」

「でも、こんなに雨が降ってたら」

「とにかく、いったんあったまろう？　お風呂から出たら行けばいいじゃない」

　悠哉はあきらかに未練を引きずっていたが、わたしが譲らないこともわかっていたのだろう。頷いて、風呂場へ向かった。

　湯舟に浸かるべきだと思ったが、悠哉はシャワーだけでいいと言う。湯舟にお湯を溜めるには時間がかかるし、わたしもそれでいいと思った。乾いているバスタオルを脱衣所の棚から引っ張り出し、悠哉と入れ替わりに廊下に出る。いくら子供でも、裸になるところを見るわけにはいかなかった。

「じゃあ、出る頃に来るから」

　シャワーの音が聞こえ始めるのを待って、わたしは宿泊客用のダイニングルームに戻った。さっきまでそこにいた朔は姿を消していた。念のために玄関の靴箱を確かめると、昨夜朔が履いていたトレッキングブーツがちゃんとある。部屋に戻ったようだと思うと、安堵半分、何をしているのかわからない不安が半分といったところだった。

今日の日没は午後五時十一分。

それまでには解決策を見つけなければならない。片づけを続けながら考えたが、焦るばかりで良い案は浮かばない。

雨は強弱を繰り返しながら降り続いている。延々と繰り返しているような雨音のせいで、わたしの時間の感覚は狂ったのかもしれない。仕事に区切りがついて時計を見ると、悠哉がシャワーを浴び始めて三十分も経っていた。

もう出ている頃だ。急いで家族の居住スペースに戻ったわたしは、脱衣所のドアをノックした。

「悠哉くん？」

返事はない。

シャワーの音も止んでいる。

急いでドアを開けた。風呂場はもぬけの空だった。息を詰めてリビングに駆け込む。

そこにも悠哉の姿はない。

そのとき、かすかな物音が廊下から聞こえた。

わたしの脳裏をある予感が掠め、夢中で音がしたほうへ走った。家族用の玄関だ。

引き戸に隙間ができ、雨が吹き込んでいる。

「悠哉くん……！」

引き戸を開けて叫んだが、わたしの声は地面を叩く雨音に掻き消された。いつの間にか雨足は強くなって、景色のすべてを灰色に沈めている。広がる紅葉も地面の起伏も、雨粒に掻き消されていくような光景だ。

わたしは玄関を振り返った。コンクリートの玄関には、子供の靴跡が水溜まりとなって点々と残っている。入って来た跡と、そして、少し薄い靴跡の爪先が逆方向に。外へ向かった靴跡の隣には、寄り添って進んだような大人の靴跡が、わずかな泥と共に残っていた。

わたしの全身が冷えた。

殺し屋が用意する靴が一足だけだなんて、どうして思ったのだろう。

わたしは室内に引き返そうとして、すぐに思い直した。久遠が用意してくれたスマホはポケットの中だ。自分の靴を取りに宿泊客用の玄関に戻る必要などない。

息を吸い込み、雨の中へ飛び出した。一瞬にして全身が濡れたが、ともかく地面を見る。ぬかるんだ土に続く靴跡は、子猫たちがいる納屋に向かっていた。

柔らかな地面を蹴散らしながら、わたしは靴跡を追った。ほんの数歩で足の違和感は消え、むしろ靴を履いているときより走りやすくなった。

雨に霞(かす)む納屋が見えた。外の外灯が、眩しく光って雨を照らしている。だがまだ、厚い雲の上には太陽がある。

「待って、まだ時間じゃないでしょう……！」

壁の穴から身を屈めて中へ入る。

室内は、外の電球のおかげで明るかった。地面に落ちている破片を踏んで進み、子猫がいた場所を覗いたが、姿はなくなっていた。横を見ると、農機具の隙間に明るい色の服があった。悠哉が脱いだはずの服だ。そしてそばには、見覚えのある子供用のスニーカーも置かれている。

腕を伸ばした。そのときだった。

「ほら、言った通りでしょ。この女はあんたと家族に復讐しに来たんだって」

湿った声が聞こえた。

わたしは、振り向いた。

がらくたに埋もれた納屋の、崩れていない屋根の下に、二人の男がいた。一人は朔。もうひとりは――森下多郎。森下の顔を見たわたしは、彼がすべてを知っていることを悟った。

朔の声が流れ込んでくる。

「森下の車に細工をしておいて捕まえたんだ。悠哉は自分の部屋で寝てる。あんたと入れ替わりに俺が睡眠薬を仕込んだココアを渡したら、素直に飲んだよ。靴のトリックなんか簡単だ」

わたしは引っ張られるように朔の足元を見ようとした。倒れている柱に遮られて叶わなかったが、視線を下げたことで、朔が下ろした右手に刃物を握っているのが見えた。

「そういうわけで。どうする、あんた俺の依頼人になる？」

森下はわたしを見つめたまま何かを言いかけた。わたしのほうに一歩近づこうとさえした。しかしすぐさま喉元に朔の右手が突きつけられ、森下は動きを止めた。ナイフの刃が白く光り、森下の顎を照らす。

「返事が先。俺の依頼人になる？　森下多郎さん」

「……どういうこと」尋ねたわたしの声は上擦っていた。

「言っておくけど、金に不満があるわけじゃないから」

「じゃあなんで」

朔の目の奥で感情が爆ぜた。

「久遠だよ。せっかくあいつと仕事が重なったんだ。久遠に吠え面をかかせられたら、俺の評判はうなぎ登りだ」

頭の奥が暗くなった。

昨夜の朔の、久遠について語ったときの熱のこもった口調――あのときに見えた嫉妬を、わたしはもっと意識すべきだった。

朔の声は響き続けた。

「森下さん、あんたは深く考えなくていいの。俺に頼めばそれだけで、あんたもガキも助かる」

「頼むって……何を」森下の目が素早く動き、わたしと朔とを見比べた。朔はナイフを引いた。

「赤澤咲子の殺害」

予想がついていたせいだろう。わたしの体は震えなかった。

朔は続ける。

「俺は弥津基彦が雇ったもう一人の殺し屋を出し抜きたい。それには依頼人を殺すのが一番なんだ。ただ殺すんじゃだめだ。仕事としてやらないと――だからね、あんたが俺の依頼人になればいい」

森下はまだ何かを言おうとしたが、突然鳴り響いた電子音に驚いて口を閉ざした。

鳴ったのはわたしのポケットのスマホだ。

朔はわずかに動揺したものの、すぐに気づいたような表情になった。

「久遠からか？」ナイフの切っ先をわたしに向ける。わたしは動けなくなった。「出るな」

呼出音は止まない。朔は瞬きすらせずにわたしを見据え、尖った金属で威嚇を続けた。やがて七回目の音が途中で途切れると、ゆっくりと笑った。

「スマホをポケットから出して、捨てろ」

　さすがに躊躇った。

「捨てろ」

　言う通りにしなかったらどうなるのか――その続きは言わない。けれど、わたしは従った。その行動を、朔は恐怖のためと思い込んだだろうか。

　わたしの手を離れたスマホは、狙ったわけではないのに、崩れた屋根の下にできた水溜まりに落ちた。

「じゃあ最終判断を聞こう。森下さん、どうする？」

　森下の唇が震えながら動いた。

　だが、何かを言いかけたところで閉じ、代わりのように頭が緩く振られた。彼の中で何かが暴れているのがわかる。朔が、少し面倒そうに目を眇(すが)めた。

「あんたは……」森下の言葉はわたしに向けられたものだった。「本当に、あのときの家族の、生き残りなのか」

　肯定する以外の返事はないのに、わたしの唇は何も動かなかった。

　だが、やめてとは言いたかった。そんな同情するような目で見るのは反則だ。

「そうだってば。教えただろ、こいつを放っておけば、これからもあんたのことを狙うかもしれないぞ」

　朔の言葉がいったいどんな作用をしたのかはわからない。だが森下の目にははっきりと、朔を拒絶する気配が過った。それは朔の狙いとは真逆の反応で、だから朔は、自分の言うことを聞かせなければと行動に出たのだろう。

　くるりとナイフを回転させ、その柄で森下の脛（すね）を叩いた。

　森下が悲鳴を上げた瞬間、わたしは自分でも信じられないことをした。

　地面を蹴り、朔に飛びかかったのだ。体術なんてものはまったくわからない。ただ体ごとぶつかっただけだ。稚拙な動きだからこそ意表を突くことができたのかもしれない。朔は森下から離れ、避（よ）けそこなったわたしの体に押し倒された。

　何かが崩れる激しい音がする。地面に叩きつけた腕の痛み、足首に走った衝撃、そのいくつもの苦痛の中でわたしは叫んだ。

「逃げて！」森下にとっては意外な言葉だろう。だが、彼が本能に従ってくれることを祈った。「ここから出て、早くっ」

　言い終わらないうちに肩を掴まれた。放り棄てられるようにうしろへ吹き飛ぶ。すぐさまお腹（なか）を踏まれた。痛みというよりは苦しみに、わたしは身もだえした。

　誰かが走り出す音、目の前を横切る朔の脚にわたしはしがみついた。

「行って、森下さん！」

わたしを振りほどこうとする朔の力強さ、森下の足音。けれどその足音は外へ飛び出すことなく、納屋の内側で止まった。

ほとんど同時に、朔の動きも静止した。

「なんで、あんたがここに……」

朔の声の震えに、ある予感を抱いてわたしは目を開けた。

森下が後ずさりをして納屋の中に戻っていた。見つめる先には、黒い人影。すらりとした体が、ちょうど壁の穴をくぐって現れたところだった。

「久遠さん……」

わたしの呼びかけは、ほとんど音にはならなかった。

久遠は片手で、もう一人の人物の腕を摑んでいた。文奈だ。後ろ手に縛られた文奈が、よろめきながら久遠と共に納屋に入ってきた。

「依頼人が電話に出なかった場合は、すぐに駆けつけるんですよ。そのへんは噂(うわさ)で聞いていませんか、朔?」


静けさが納屋を包んだ。

だがそれは本当に一瞬のことだった。久遠の足が地面を蹴った瞬間、朔が飛び出し、いくつもの音が重なり合って空間を乱した。人殺しを生業にする者同士の命のやりとりを見ていられず、わたしは呆然と座り込んでいる森下の元まで這って行った。

「森下さん……逃げ……」

わたしの言葉はそこで途切れた。

文奈が荷物のように納屋の床に倒されており、森下が妻に駆け寄ろうとして転んでいた。朔に叩かれた脚が、なんらかのダメージを負っているのだろう。文奈の体はずぶ濡れで、目は混乱に揺れていた。

「あの子はどこ」震える声で文奈は尋ねた。「悠哉は。誘拐したって、あの男が」

文奈はたどたどしく、雨の中、道の真ん中で手を振っている人がいたことや、困っているのかと思って車を降りた瞬間に襲われ、悠哉を助けたければ言うことを聞けと命令されたことを語った。

ひときわ大きな音が響いた。

振り返ると、朔が壁に押しつけられ、その胸の中央にナイフが突き立てられていた。朔が持っていたナイフだが、柄を握っているのは久遠だ。

誰かの悲鳴が響いた。あるいは、悲鳴を上げたのはわたしだったかもしれない。

久遠は崩れ落ちる朔の頭に片手を添え、その目を覗き込んでいた。命が消えるときまで見つめると言っていたルールそのままに、瞬きすらせずに。朔の瞼が完全に降りると、久遠は朔の体を地面に横たえた。

ナイフを朔の胸に残したまま、久遠は立ち上がり、わたしに笑いかけた。

「咲子さん。僕の言うことが聞こえますか？」

わたしは頷いた。

「どうします？　犯人を殺しますか」

濁った呻き声が、久遠を見上げているわたしのうしろから断続的に聞こえる。文奈と森下だ。二人は混乱していて、ここに妻が現れた理由も、突然人がひとり殺された理由もわからないのだろう。

「どう、して？」わたしは問いかけた。

「仕事ですから」

「そうじゃなく……」

「ああ、文奈さんを連れて来た理由ですか。犯人だからですよ」

意味がわからない。だが、夫婦は同時に沈黙した。

「正確には、その可能性が高いということでしたが。正解のようです」

文奈が事故の犯人。

森下ではなく？

「あなたのおじいさまから、朔にも依頼を回していることは聞いていました。朔は……」ほんの一瞬、死体になった若者を見遣る。「僕のこと、やたらとライバル視してくるんで、こういうこともあるかと」

「おじいちゃんはわたしに、森下多郎がターゲットだって……」

「僕にはこう言いました。娘夫婦と孫を殺し、もう一人の孫娘を孤独に追い込んだ犯人を殺してくれと」視線がわたしから離れる。背後の空気が凍りついたのがわかった。

「当時の事故の記録と、森下多郎の素行を改めて洗った僕は、ひとつの可能性に気づいたのです。運転手は他にいたのではないか、と。森下多郎さんは十一年前、買ってもらった車にガールフレンドを乗せてドライブに行くことが多かった。そのとき運転免許を持っていない文奈さんにハンドルを握らせることがあったと、当時の文奈さんのお友達から聞きました。そして事故当時、文奈さんは悠哉くんを妊娠していましたね。子供ができた報告を聞いて嬉しくなり、舞い上がった森下多郎さんは文奈さんにハンドルを預けて、スピードを出して、真夜中だったし都会でも車は少なく……その途中であの事故。お腹の子供のことを思えば、森下多郎さんがどんな行動を取ったのかは想像がつく」

　わたしの頭の中にパズルが組み上がっていく。描いていた完成図が変形し、まったく違う風景が現れる。しかし絵面は変わっても、パズルは枠の中にきっちり納まるのだ。

久遠はきわめて優しく言った。

「これは可能性の話。でも僕としては、仕事は完璧にこなしたい。おじいさまは犯人を殺すようにと言いました。犯人が森下多郎でないなら、本物を捕まえなければならない。仮定の話をあたかも証拠があるかのように話したら、文奈さんはすぐに白状してくれましたよ」

久遠は淀みのない仕草でジャケットの胸ポケットを探った。

引っ張り出したのは黒い革の手袋だ。朔の心臓を貫いたナイフと比べたら凶器でさえないもののなのに、わたしは恐怖に震えた。

「さて、咲子さん。どうします？」

決めなければならない。わたしの心はまだ揺れている。迷いもある。でも、それでも――ああ、やっぱりもうだめだ。

「――ら、…………」

「すみません、聞こえません」

「わたしが、事故を起こした人を殺してと言ったら……あなたはその通りにする？」

森下夫婦が何かを叫んだが、その声はあまりに小さく、久遠の返答に掻き消された。

「もちろんです」

「絶対に？」

「ええ」

わたしは久遠をまっすぐ見た。

「それなら、わたしを殺して」


聞こえない音を聞こうとするように、久遠は首を傾げた。

「……今、なんて？」

「犯人を殺すんでしょう？」

「そう言いつかっております」

わたしは不意に笑いたくなった。降り続く雨の音のせいか、久遠の静かな話し方のせいかわからない。森下夫婦が黙っているから、まるで久遠と平和なおしゃべりを楽しんでいる気分になったのだ。

だが、話は進めなければならない。

「あの夜、妹がどうして具合が悪くなったか調べた？」

「……アレルゲン物質を口にしたからだと、カルテに」

「ピーナッツを」

「もしかして……？」

「うん。食べさせたのは、わたし」

その一言と一緒に、鮮明な記憶が脳の中に溢れた。

貰い物のお菓子。ピーナッツが含まれていたから食べられなかった妹。両親はクリスマスに、プレゼントをふたつ買ってあげると妹に約束した。わたしは、ひとつしかもらえないのに。

わたしは狡賢い子供だった。お菓子を食べられない妹が可哀そうだから、ほんのちょっとなら大丈夫かと思ってと、あとから言い訳をすれば大人は許してくれる。そう思って、夜、子供部屋で妹にお菓子を食べさせた。

ほどなく発作を起こした妹を、両親は車に乗せた。わたしは留守番。そして。

わたしは目を閉じた。

妹が病院に運ばれた理由を、祖父母は知っていた。でも妹が隠れてこっそり食べたものと思い込んでいた。あんなに小さいのに、お菓子を我慢しなければならなかったなんて……せめて最後に好きなものを食べられて良かった。そう言って涙を流す祖父母を前に、わたしは真実を封印した。心の片隅には、わたしのせいだとバレなくて良かったと胸を撫でおろす醜い自分がいた。

あれから十一年。

もし最初にすべてを話していたら、祖父はこんなにも人を憎んだまま死ななくて済んだ。

祖父の恨みはわたしが一人で受けなければならない。

真実を知っていれば、少なくとも悠哉までがターゲットになることはなかったはずだ。祖父はそんな人ではない。そしてもしわたしが打ち明けていたとしても、わたしに死ねと怒鳴ることはしなかっただろう。それどころか、わたしを抱きしめて泣いてくれたかもしれない。祖父はそういう人だった。

けれど死の間際、殺し屋の話を聞いたわたしは口を噤むことにした。病院のベッドから動けない祖父に聞かせて何になる。ずっとそばにいたわたしが家族の死の原因を作った者だと知って、森下の子供まで手にかけようとした自分を恥じて、祖父の心臓はすぐにでも止まったことだろう。だから黙っていた。

あれはわたしの最後の罪。黙っていたからこそ、わたしは死ななければならない。祖父が放った殺し屋に討たれるべき本物の犯人に、あのときわたしはなったのだ。

「そうだったんですか……」久遠の声は、カフェで聞いたときとおなじくらいに静かだった。「なるほど。それならあなたも犯人ということになる」

久遠は深く微笑んだ。

「赤澤咲子さんのご両親と妹さんが乗った車が大破したのは間違いなくあなたがたの軽率な行動のせいですが、そもそも咲子さんが妹にわざとアレルゲン物質を食べさせなければ、車で出かけることはありませんでした。あなたがたも、彼女も犯人です。だから、どちらも殺します」

わたしは後ずさった。どこまで戻るつもりだったのか自分でもわからないが、膝から力が抜けてその場に座り込んでしまった。

久遠が森下夫婦を一瞥した。二人の様子に何を見出したのかわからないが、彼はわたしに目を戻し、おまえからだと言うように近づいて来た。

わたしは目を見開いた。冷たい革手袋の感触が喉にかかった瞬間、何かが地面にぶつかる鈍い音がした。

瞼を開けたわたしの目に信じられない光景が映った。

森下が、納屋に落ちていた木材のようなものを拾って、ふらつきながらも久遠に殴りかかったのだ。久遠は身を翻して避け、森下の頭を蹴り飛ばした。森下の手から離れた木材が壁を打ち、音を立てる。

文奈が森下の名前を叫んだ。

だが文奈は倒れた森下ではなく、わたしに駆け寄った。

「逃げて！」

体を押され、尻もちをついた。久遠が文奈の襟首を掴み、片腕だけで放り投げる。身の毛もよだつ乱暴な動きだった。わたしは本能的に身を竦(すく)ませ、叫んだ。

「どうして……！」

起き上がった森下は獣のように吼（ほ）え、もういちど久遠に飛びかかった。だが久遠に腰を蹴られ、森下は地面に転がってしまう。すぐには動けない森下に、久遠は歩み寄った。森下の首の骨を折るつもりだと、咄嗟（とっさ）に悟った。

その瞬間、目の端に幼い少女が見えた。

九歳のわたしだ。封を切ったお菓子の包みを両手にのせ、それをじっと見つめている。

わたしは夢中で久遠に飛びかかった。

久遠の体は朔のようにはいかなかった。肩を摑まれ、動きを押し戻される。わたしはそれでも闇雲に腕を動かし、喉を締められると夢中で振りほどいた。頭の中には昨日見た納屋の様子が地図のように広がった。柱に立てかけられていた鋤を思い出し、手を伸ばす。硬いものに指が当たったので、握った。

だが久遠に背後を取られ、片腕で腹を、もう片方の腕で喉を締められた。わたしの手からやっと拾い上げた武器が落ちる。文奈の泣き声が聞こえたそのとき、傍らに尖ったものがあることに気づいた。錆びてはいるが鋭い鋤の刃。さっき摑んだと思ったのは別の何かだったのだろう。

考えたのは一瞬だった。

わたしは首に巻きついている久遠の腕を両手で固定した。プロの久遠を殺せるとは思えないが、怪我くらいはさせてやる。わたしは目を瞑り、全体重をかけて、わたしと久遠の頭が鋤の刃に突き刺さるよう計算しながら、倒れた。

短い悲鳴は森下夫婦が上げたものだったかもしれない。瞼の裏で、九歳のわたしが笑った。

痛みに備えて歯を食いしばったわたしは、だが、完全には倒れきらなかった。誰かの手が、わたしと久遠の体を支えたのだ。

背後から聞こえた低く湿った声に、わたしは目を開けた。

「あっぶな」ふざけたような言い方なのに、その声に混じった安堵は本物だった。

「大胆なことするなあ。刺さったら死ぬよ」

「……そうだね」応えた久遠の声も、驚きの余韻を引いていた。「ありがとう、朔」

わたしの喉から勝手に音が漏れた。

体から力が抜け、視界が鮮明になっていく。傷ついた森下夫婦が呆然とたたずんでいるのが見えた。

「ちょっとそのまま……動かないでね」

久遠は片手を地面について、わたしごと体を起こした。

まっすぐな姿勢になった途端、わたしの喉が勝手に息を吸い込み、止まらなくなった。気管が詰まり、心臓が破裂しそうだった。

うしろにいた誰かが前へ回り、わたしと視線を合わせた。ぎらぎらした命を持った大きな二重の目に、心を抉られる。わたしは完全に動転した。

「過呼吸を起こしかけてる。乱暴にするからだぞ、いけないんだ」

「むしろおまえに驚いてるんだよ」

うんざりしたような久遠の声も、今のわたしの心を掻き乱すばかりだ。

生きて動いている朔は、森下夫婦に向き直り、そのそばで膝を折った。森下夫婦は逃げようとするような動きをしたが、朔は気に留める様子もなく怪我(けが)の具合を見ている。背中を向けているので、刺されたはずの胸がどうなっているのかは見えない。

突然、長い指に鼻から下を覆われた。呼吸を止められるのかと思ったが、久遠の手は充分に空間を残したままわたしの呼吸器官を包んだだけだった。

久遠は自分の胸にわたしの背中を押しつけ、顎を上向かせて背後からわたしの顔を覗き込んだ。切れ長の目が間近に迫り、魂ごと呑まれるような感覚に陥る。

「あなたは少し眠ったほうがいい。今は落ち着いて話せないでしょうし」首の付け根あたりに優しい圧迫を感じた。鳥肌が立ち、同時に意識が薄れて行った。「ああでも、ひとつだけ。朔は僕の弟です」

それがいちばん、混乱させられる一言だった。

5

季節の移り変わりは早い。

表参道の通りを歩くわたしは、一週間前とは違いきっちりとコートを着込んでいた。空気は乾燥し、落ち葉が歩道を舞う。行き交う人々の足取りは速かった。

あの日とおなじ店の前で、わたしは足を止めた。

店内を覗く。

このあいだよりも客は多いが、あのときとおなじテーブルで久遠は待っていた。

わたしは軽井沢でのことを回想した。

——目を覚ますと、わたしはペンションの自分の部屋にいた。枕もとには悠哉がいて、すぐに森下夫婦を呼びに行った。悠哉を外に出してから夫婦に聞かされたことによると、あれから半日が経過しているという。

「これを預かりました」

そう言って森下が寄越したのは、封筒に入った二十枚の一万円札だった。なんでも怪我の治療費の名目で、久遠が置いて行ったそうである。

怪我といってもわたしのほうはたいしたことはない。痣(あざ)と打撲、足裏にわずかな擦り傷はあるが、いずれもすぐに治るものだ。その封筒はあなたたちにと、腕や額に包帯を巻いた森下夫婦に言ったが、二人は受け取らなかった。

封筒を握りしめたわたしは尋ねた。

「久遠さんは、あなたたちを――見逃してくれたんですか」

「私たちには何もしないと、久遠は言いました」

森下はわたしをじっと見て、文奈は目を伏せた。

「……それなら良かったです」

森下夫婦は、ペンション近くの道が雨による土砂崩れで塞がったのを言い訳に、数日営業をストップすることにしたそうだ。自分たちの怪我は外の倒木を片付けようとして滑ったと、悠哉には説明したらしい。

「悠哉にだけは、今はまだ、事故のことは知らせないでください」

さんざんに事故のことを詫(わ)びたあと、二人はわたしに深く頭を下げた。

ベッドの上でその姿を見ながら、わたしは自分の心を探ってみた。

二人を憎む気持ちは、確かにある。もしあのとき、文奈が信号を無視して突っ込んで来なければ、妹は無事に病院へ着いただろう。そして手当を受け、わたしは目論見(もくろみ)通り軽く叱られて終わり、クリスマスを迎えたかもしれない。

何度も思い描いてきた『もしも』だ。でも、その『もしも』はどこにもない。

文奈は言った。

「警察に行って、すべて話します。あなたのことも、久遠や朔のことも言いません。ただわたしが長年の罪悪感に耐えられなくなったとだけ……」

わたしは「そんなことはしないで」と言いかけた。

だが結局、やめてしまった。真相を明らかにせずに暮らしている文奈の姿を思い描いた途端、胸に小さな憎しみの芽が吹いたからだ。

もう嫌だった。

新しい憎しみを育てるのは。

「好きにしてください。わたしも、東京へ帰ります」

その日の午後、わたしはタクシーを呼んでもらい、駅から新幹線で都会へ戻った。

土砂で塞がった駅までの道は、迂回路(うかいろ)をたどればなんということはなかった。

久遠が残したお金が入っている封筒の中に、手紙を見つけたのは帰りの新幹線に乗ってからのことだ。広げると、流れるような文字でこう書いてあった。

『表参道』『明後日』『午後四時』『パンケーキがおいしいお店（名前を忘れてしまいました）』。

店のドアを開けると、ベルの音に気づいた久遠がすっとこちらを見た。

わたしは店員を無視して久遠の前に座った。

水が置かれ、わたしはあの日とおなじメニューを頼んだ。

「僕もそれ。あと、コーヒーを」

久遠の話し方があまりにも丁寧で、わたしはなぜか笑ってしまった。だが直後に、喉を絞めた腕の感触や、わたしを気絶させた指の圧力が蘇り、寒気に襲われた。

「足の怪我は大丈夫ですか。素足だったでしょ、あのとき」

温かい言葉に寒気が引っ込む。

「全然。もう平気です」

交わした微笑みに促されるように、わたしは尋ねた。

「久遠さんは、本当に殺し屋なんですか」

久遠は瞬きをした。

「あ、そっちでしたか」

「そっちって、他に何が……？」

「てっきり、本当に朔と兄弟なのか訊かれると思っていたので」

瞳が柔らかく、深くなる。

わたしはすぐに同意した。

「それも信じられないんですけど。だって全然、似てませんよね」

「僕は父親似で、朔は母親にそっくりなんです」

月のない夜に見た、朔の姿を思い出す。

「逆、じゃなくて？」

「ええ。間違いなく、朔は母親の若い頃と瓜二つです」

「……そうですか」

家庭の諸々に立ち入るほど失礼ではないわたしは、運ばれてきたパンケーキをいつかのように刻んだ。口に入れると、少し味が変わっている気がする。おいしいにはおいしいのだが、あのときよりも濃厚な味だ。

もしかしたら、味覚も心持ちで変わるのだろうか。だとしたら、祖母が食べさせてくれた食事は、もし今口にすることができたなら、もっと違う味がするのだろうか。

それは祖父もおなじように……。

考えたところで、手が動かなくなった。わたしはフォークを置いた。

「久遠さんは、これでいいんですか」

「これ、と言いますと？」パンケーキを口いっぱいに頬張っているせいか、『これ』と言うときに『ほれ』と聞こえた。

わたしはおかしさよりも苛立ちを感じた。

「わたしは生きてます。いいんですか？　祖父の依頼は、わたしがそうしてと言ったら、犯人を殺すことだったのに」

「僕は依頼を完璧にこなせたと思いますよ」久遠はコーヒーを含んだ。「おじいさまは最初から知っておられたのですよ。あなたが妹にしたことを」

　自分がどんな顔をしたのかわからないが、久遠はそれが礼儀だといわんばかりに目を逸らした。

「あなたはもう覚えていないかもしれない。でもおじいさまは、妹さんの死後、医師からアレルギー性発作のことを聞いて、家の中を調べた。あなたは妹さんにお菓子をあげたあと、その包み紙を自分の枕の下にしまったのです。どういうつもりでそんなことをしたのかはわかりませんが、もしかしたら無意識のうちに、自分の犯行の痕跡を隠そうとしたのかもしれない。あとはあなたの男性遍歴ですね。自分を傷つける相手を選んでいるようだと、基彦氏はおっしゃっていた」

　テーブルに置いた手が震え始めたので、わたしは握り合わせた。

　祖父は知っていた。わたしが十一年間、ずっと秘密にしていたことを。あの深い眼差しに、わたしの罪はとっくに掬（すく）われていたのだ。

「もしあなたが、自分のしたことが何であれ、森下夫婦を許せないと思ったら、真実を伏せたまま僕に二人を殺させることもできた。朔が悠哉の担当であるかのように振る舞わせ、その朔をあなたの目の前で僕が殺して見せれば、あなたは悠哉が殺されないかと心配することなく、最後の決断をすることができるでしょう。あなたは……」

久遠はパンケーキを切る手を止めた。

「言おうかどうか迷ったけど。うん、言いましょう。おじいさまはこうおっしゃっておられました。あなたは憎い仇の子供であっても守ろうとするような、優しい娘だからと」

久遠は再びパンケーキを口に入れた。

わたしは震えが止まらない両手を解いてなんとかフォークを持ち、きつね色の切れ端を齧った。強い甘さに心が引っ張られる。泣くまいと思いながら、泣き顔で食べた。

店を出ると、外はすっかり日が暮れていた。街灯が華やかに輝き、間もなく訪れるクリスマスを連想させる。その明かりの下でわたしは、森下から受け取った封筒を久遠に返した。

「受け取りたくないんです。わたしも、森下さんも」

久遠は無言で取り、懐に収めた。

「ここで現金と引き換えに、一週間遅れの誕生日プレゼントをお渡しできたらかっこいいんですがね。でも、殺し屋からの贈り物なんて嫌でしょうから」

わたしは笑った。久遠の前で初めて、本物の笑顔を浮かべることができたように思う。

「あなたが殺し屋だなんて、いまだに信じられません。だって結局、みんな生きてるじゃないですか」

「朔を刺しましたよ」

「おもちゃのナイフで。……おもちゃでしょ？」

「暴力を振るいました」

「あれは怖かったです」

「ごめんなさい」

ぺこりと頭を下げた久遠は、やはり、殺人者には見えない。

久遠が顔を上げるのを待って問いかけた。

「本当は、嘘なんでしょう？」

「『本当は嘘』って、哲学的な言葉ですね」

「五つの約束とか、家業だからとか。あなた本当は殺し屋じゃないんでしょう。いったい何なんですか？」

わたしがじっと見つめると、久遠は困ったように顔を背けた。照れているような表情も、口元の微苦笑も、すべてが可愛らしい。

まあいいや。

彼が殺し屋を名乗りたいのなら、そういうことにしておいてあげよう。

久遠はおどけた調子で言った。

「だけど、僕のあとに続く人間がいるかどうかはわかりません。子供どころか、つきあう相手もいないので」

まだごっこ遊びを続けるつもりらしい。お誘いの文句に聞こえなくもないその一言を、わたしは撥(は)ねつけた。

「いつか現れるんじゃないですか。今じゃないけど」

「今じゃないんですか?」

「違いますね」再度、彼をふったとき、わたしの心はちくりと痛んだ。

「そうですか。じゃあそれまでは、じっくり殺しでもやって生活していきます」

わたしはまた笑ってしまった。まったく、殺しという言葉がこれほど和(なご)やかに響く声はどこにもないだろう。

店の前で別れ、わたしは駅へ、久遠は道の反対側へ歩き出した。

足を進めながら、わたしは小さく笑い続けた。殺し屋を名乗るあの青年はきっと、今まで誰の命も奪ったことがないのだろう。祖父はそんな相手にいくら払ったんだか。

――そこまで考えて、ふと足を止めた。

うしろから来た誰かにぶつかられ、よろけたが、構っていられない。

その場で考え続けた。殺し屋ではない？　いや、わたしの首を絞めた力も、森下夫婦をあしらった力も本物だった。だがそれなら疑問が残る。納屋で揉み合ったとき、朔が手を伸ばさなかったら久遠だって重傷を負ったか、下手をしたら死んでいたかもしれない。そこまで真剣に、本当の殺しではない仕事を、本物の殺し屋がなぜ引き受けたんだろう。

わたしは自分の目元に触れた。久遠が覗き込んだ目だ。あれは久遠の、殺しのルールのひとつではなかったか。

ああ……そうか。

一人だけ、彼らのせいでいなくなった人がいる。

わたしは振り向き、駆け出した。大急ぎで来た道を引き返したが、久遠の姿はどこにもない。それでも走って行くと、信号が変わったばかりで人が立ち止まり始めた横断歩道の向こうに、小さなオレンジ色の光が見えた。この界隈では禁止されているはずの歩きタバコ。その火をくわえているのは、朔だった。

朔の隣には、黒い影のような久遠もいる。タバコを取り上げようとしているのか、朔の口元に手を伸ばしては避けられている。

朔がわたしに気づいた。

あ、というようにタバコを離し、横断歩道越しにわたしを指さす。

久遠もこちらを見たので、わたしは声の限りに叫んだ。

「この、人殺し……！」

そう、彼らは確かに殺したのだ。十一年間、謝ることもできず泣き続けた、成長することさえ許されなかった、わたしの中の幼いわたしを。

それこそが、祖父の本当の依頼だったのではないか。

もう一度わたしは叫んだ。

殺し屋どもめ、と言うつもりだったのに、出て来た言葉は「ありがとう」だった。

第二話

月が昇る——1991年

最後の言葉は「ありがとう」だった。

彼がそう言ったときのことを、おれは忘れていない。

なぜなら、その「ありがとう」は、およそ感謝とはほど遠い言葉で飾られており、虚しく、わびしく、世界中の乾きを寄せ集めて作ったようなうつろな響きを帯びていたからだ。

彼との別れから四年。

おれはふたたび、始まりの町へやって来た。

おれが暮らしていたときすでに過疎地だった山間の町は、あの頃よりも住民の数が減ったと聞いている。

車両を降りたのはおれ一人。秋の日差しが注ぐ一面二線の島式ホームにいるのは、ベンチに座っている痩せたおばあさんだけだ。

おばあさんはおれを見ると、ふっと表情を変えて腰を浮かせた。

「――ひょっとして、＊＊さんじゃあないですか」

聞き取ったおれは、おばあさんのほうに向きなおって大きな声で言った。

「いいえ、違いますよ」

おばあさんは耳をすますような仕草をして頷き、「あらまあ、すみません」と呟くと、ふたたびベンチに収まった。

おれはホームの時刻表を見た。

次の列車が来るのは一時間後だ。

各駅停車しか停まらない駅だから、おれが乗って来た列車を見送ったことを考えると、おばあさんはここで誰かを待っているのかもしれない。

おれはもう一度おばあさんの横顔を眺め、何も言わずに改札をくぐった。改札は無人だった。

駅前広場の錆びたバス停留所看板を横目に、右の道へ入る。商店街が両脇に連なる太い通りだ。ここが町のメインストリートだったはずだが、開いている店は少ない。シャッターが下りた電気屋、看板だけが残る喫茶店、コンビニエンスストアだったと推測できる空っぽの店舗。かろうじて営業していたのは、年季が入った店構えの中華料理屋だけだった。擦れ違う人影も、通り過ぎる車もない。

おれは記憶の底に残っているおなじ場所の景色を引っ張り出した。軽トラックに冷蔵庫を積み込むおじさんの横を通り過ぎて、酒屋のお姉さんに挨拶をし、子供だったおれは駄菓子屋へ急いだ。ふくよかなおばさんが迎えてくれる駄菓子屋は、さっきの潰れたコンビニエンスストアのあたりにあった気がする。

音のない商店街に乾燥した風が吹いて、衰退の色を鮮やかにした。

通りをひとつ曲がると、途端に建物が少なくなる。雑木林に空き地、ほったらかしになった畑が目立ち、代わりに、点在している民家は大きく、広い庭を持つようになった。

十分ほど歩いた。

山の裾野にさしかかる頃、一軒の住宅の前に着いた。

おれはその家をしばらく眺めた。南欧の別荘をモデルにしたような、明るい色の壁と、赤い屋根瓦の二階建ての家だ。こんな外観を持つ家はこの町には珍しく、子供の時分には特別感に圧倒されもしたが、今はあちこちに傷みが見られ、壁の色もくすんでいる。修繕された形跡はない。

軒先に張った蜘蛛(くも)の巣を眺めながら、おれは自分の胸を探った。湿り気のある感情、郷愁や、感傷と呼ばれるものが、すっと胸を横切って、一度も振り返らずに通り過ぎて行った。

門柱には『八柳(やなぎ)』と表札が出ている。

おれは胸の高さの門を開け、玄関ポーチに立ってチャイムを鳴らした。

壊れているのか音は鳴らない。ドアに手を掛けると、鍵はかかっていなかった。

中に入った。玄関は薄暗く、淀んだ空気にはかすかに鼻を突く匂いがした。奥に向かって伸びる廊下に沿って部屋が並び、突き当りには階段が見える。

その光景はおれの心を激しく揺さぶった。駅に降りたときや、商店街を歩いたとき、あるいはこの家の前に立ったときでさえ感じなかった、強すぎる感覚だった。

滲んだ涙を指先で拭って、おれは呼びかけた。

「通孝、おれだ。来たぞ」

返事はすぐにあった。

「……上がって来いよ。二階にいる」

枯れ葉が擦れ合うような声は階段の上から聞こえた。

靴を脱いで式台を踏んだ途端、床板が、挨拶をするようにきしんだ。

階段を登ると、引き戸が開いたままの部屋が見えた。絨毯敷きの洋間で、奥の窓辺にベッドが置かれている。ベッドの足元には男が蹲っていて、背後の窓の外には陽光に輝く木立が見えたが、日差し自体は室内には入って来ず、そのため彼の姿は黒い影になっていた。

呼びかけると、男――通孝は顔を上げた。表情は見えにくかったが、笑ったようだ。

「ヒサ……」

通孝が俺の綽名を口にした途端、おれの心臓は不規則に跳ねた。昔の瑞々しさは面影もない、歳月に生命力を吸い取られたような掠れた声。それでもわずか二音に含まれた挑発と嘲り、その下にある執着は変わらなかった。

おれは部屋へ踏み込み、通孝の正面に座った。すると彼の顔がはっきりと見えた。頬がこけ、首筋の血管が浮き出ている。目だけが、全身を蝕む病から逃れた生命力の最後の砦であるかのようにぎらついていた。体は痩せて、着ているTシャツがだぶついていた。

「……病院には行ったのか？」

問いかけると、男、通孝は笑った。片側の口角だけを持ち上げる皮肉な笑い方は、昔とおなじだった。

「行ったよ、今朝。すぐに入院しろと言われた。用意をしてくると言って、戻って来た」

「じゃあさっさと準備して行けよ」

通孝の目に濡れたような光が宿り、それはすぐに鋭い表情に変わった。

「おまえが来るんだ。待っていたかった」

おれの心臓はさきほどとおなじように跳ねたが、その拍子に、奇妙な感情が零れ落ちてきた。それは喜びとか嬉しさといった類のものだったが、だとしてもどこか黒ずんだ、純粋とは呼べない感情だった。

「ヒサ。なあ、おまえがどうなったのか聞かせろ。おまえは今、不幸だろ？」

おれは笑おうとしたが、できなかった。通孝の命令口調に記憶がこじ開けられ、おれを四年前の秋へ、さらには、その前の子供時代へと導いていった。

1

尚直（ひさなお）。

それがおれの苗字だった。珍しい苗字なのは世話になることになった伯父（おじ）夫婦が暮らす町でも変わらず、そのうえ学期途中の転校生だったおれは必然的に目立った。どの学校でもそうかもしれないが、周りから一目置かれている生徒というものはいる。おれの転校先ではそれが、倉持（くらもち）さくらだった。

権力を握る背景にはさまざまな理由があるだろうが、さくらの場合はその美しさだった。小学六年生ともなれば、男女ともに外見が他者の心に与える影響を理解している。早い者ではその年頃から、自分が美しさを武器に社会に斬り込むべきなのか、それとも個性や教養を盾に生きるほうが有利なのかを考え始める。さくらはさらに、その美しさの付属品として、学校の成績や友達の数を役立てる術を心得ていた。

この町に来る前、おれは東京の国際学校（インターナショナルスクール）に通っていた。外見ではほとんどわからないが、おれにはヨーロッパの血が混じっている。父がフランス人だったのだ。

両親は仕事の都合で渡ったアメリカで出会い、正式な結婚はせずにおれという子供を設けた。二人の関係は十年ほどでピリオドが打たれ、母はおれを連れて帰国。父も去年、母国へ戻ったという。

一年にいちど会うか会わないかの父は、東南ヨーロッパに起源を持つ家系だとかで、エキゾチックな顔立ちと高い身長、豊かな肩幅をそなえていた。だがおれはそのどちらも受け継がなかった。母の遺伝子に呑まれたのか、おれの体は細く、髪は直毛で、切れ長の目は真っ黒だった。それでもヨーロピアンの面影は、あの大陸の気候のような清々しさをおれの全身に散らばらせていた。ふとした瞬間、自分の指の造形に、同年代の少年のそれにはない形を見る。あるいは鏡に映る瞳の光彩に、かの国の空の青さが過る。

それらおれの〝個性〟が、自分は集団の中で優れていると自覚している人間の興味を引いたらしい。

倉持さくらに話しかけられたのは、転校初日、授業の合間の休み時間だった。

「ねえ、どうしてこの町に来たの？」

机についたまま声をかけてきた相手に顔を向けると、さくらはおれの横に立ち、首を傾げて微笑んでいた。その顔は自分の可愛らしさの威力をどうしたら引き立てられるのかを熟知しており、実際、吸い寄せられるような魅力があった。

おれはさくらの背後を見た。

机を一列分隔てた教室の端では、さくらの友達とおぼしき女子たちが、特徴的な笑みを浮かべてこちらを見てきた。昔から絵画に描かれてきた、権力者の近くにいることを許された貴族の顔に貼りついている、揺さぶられる他人を安全地帯から観察する顔だった。

母の仕事の都合で、伯父夫婦に預けられることが決まったときから、予想していた瞬間だった。

おれはいくつかの選択肢の中から、いちばん無難な答えを選んだ。少なくともそのときは、そうしたつもりだった。

「母さんが仕事で海外に行くんで、おれは伯父さんの家で暮らすことになったんだ」

正確には、再びアメリカに赴くことになったのをきっかけに、息子に日本の学校生活を経験させたい、と考えた母の思いに従ったのだが、すべてを話す必要はないだろう。

さくらは眉をよせた。そのときの彼女の表情に過った暗い影に、おれは嫌な予感を覚えた。

さくらは長い髪をいじりながら、「そう」と短く言った。

そしていかにも興味をなくした様子で、取り巻きのところへ戻っていった。

さくらが帰還した少女たちの群れは、聞き取れない声量でなにごとかを話し合い始めた。教室のざわめきのなかで、彼女たちの周囲から仄暗(ほのぐら)いものが立ち昇り、湿度を持ち始めるのがわかった。

困惑したおれは、ヒントを求めてあたりを見渡した。

教室のうしろにいる数人の男子が、気まずそうにおれを見て、すぐに顔を背けた。

その瞬間から、おれは転校初日の第一歩を失敗してしまったことに気づいた。

失敗の結果はほどなくして現れた。

体育の授業中、おれとペアを組んでバドミントンをすることになった女子が、「わざと遠くに飛ばさないでよ！」と突然、大きな声で叫ぶ。持ち物がなくなる。おとなしいと評判の男子生徒が、放課後、担任に「尚直くんが何度もぶつかってくるんです」と腕をさすりながら訴える。

おれを刺す棘(とげ)に気づくたび、ふと視線を感じて振り返ると、必ずさくらが湿り気のある笑みを浮かべておれを見ていた。

半月も経たない頃には、おれは乱暴者だということになっていた。

あるときおれは、倉持さくらの取り巻きの一人である女子を捕まえて尋ねた。

「あのときどう答えるのが正解だったんだ？」

相手の女子は面食らい、おれを毒虫か何かのように睨んだ。

「わかんないの？　さくらは顔が自慢なんだから、最初にさくらの名前を訊けば良かったの。この可愛い子は誰だろうって思わなかった？　なのにあんたは平然と自分のことを話したから、あの子の不興を買ったの。放して。じゃないと大声で叫ぶ」

おれが指を緩めるのと同時に、女子の手首はすり抜けていった。

「――あんたにいきなり手を摑まれたこと、言いふらすから！」

走って逃げながら投げつけられた言葉はその日のうちに実行されたが、すでに傷だらけであったおれの評判にとっては、たいした瑕疵にはならなかった。

そうしておれを痛めつけたさくらだが、完全に打ち負かすには至らなかった。

なぜなら、おれは勉強ができたからだ。

授業中の受け答えはもちろん、宿題もテストもトップを取った。さくらも優等生だったが、テストはつねに満点とはいかない。それがまたさくらの攻撃を強め、同時に、さくらに同調する級友たちを勢いづかせた。

転校して三か月が経つと、おれはすっかり『協調性のない風変わりな児童』として校内に定着していた。成績の良さに加え、授業中に暴れるようなことはしなかったので（あたりまえだ）、担任は他の児童からおれに関する訴えがあると、口頭で注意するのみにとどめ、大きな問題にはしなかった。最初こそ伯父夫婦に連絡がいくこともあったが、その回数も減っていき、やがてゼロになった。

当時三十代だった男性の担任は、おれがさくらにされていることに薄々気づいていたのだろう。すべての大人には子供時代がある。きっと担任が十二歳だった頃にも、さくらのような人間がいて、もしかしたら担任もまた、そうした人物の権力の一端を担った経験があるのかもしれない。

またおれも、周囲から与えられたポジションに馴染んでいく努力をした。日本企業の駐在員である母がアメリカから戻るのは、せいぜい月に一度。おれは小学校を卒業後、母のいるアメリカに行くことになっていたから、日本に滞在するのは一年未満。母と伯父は歳が離れていて、伯父夫婦の一人息子は県外で下宿している大学生。おれはその息子が使っていた子供部屋に住まわせてもらっていた。伯父夫婦の前で好かれるように振舞う程度の行儀は身に着けていたおれは、家の中ではいい子で通っていた。

そのまま、波風はあるものの、平坦な日常が過ぎていくはずだった。

夏休みが始まって三日目。

町外れの深い森で、おれがさくらを殺したりしなければ。


今でも覚えている。

さくらの喉を締め上げて窒息させたリボンが手に食い込む感触。指の痛みに耐えられなくなって、おれはリボンを放した。

反動で尻もちをつくと、ようやく周囲のざわめきが戻ってきた。鳥の声や、風が木々のあいだを渡る音。命のオーケストラが響く世界で、目の前に倒れている少女だけが静かだった。

自分の心臓の音を聞きながら、おれはさくらを見た。白いブラウスとジーンズ姿のさくらは、俯せに倒れ、横向きにした頭の周囲には長い髪が広がっていた。地面に投げ出した手足はぴくりとも動かず、片足のサンダルは外れている。おれが首を絞めたリボンはさくらのブラウスの襟元を飾っていたものだが、おれの指から逃れたあと、地面に落ちた。そのそばには、さくらの血がついた石が転がっている。

そこは山裾の途中の、遊歩道から外れた一角だった。周囲を崖に囲まれた窪地で、日当たりが悪いせいか、夏だというのに草が生えていない。おれは震えながら、黒々とした地面が沼のようにさくらを呑み込んでくれたらいいのにと思った。

頭上で物音が聞こえたのはそのときだった。

振り返ると、茂みを掻き分けて、少年が現れた。

「……八柳君」

知っている少年だった。八柳通孝。おなじクラスで、地域のサッカークラブに所属している。おれはほとんど話したことがない。

汗が噴き出し、目の前は真っ暗になった。アメリカにいる母はもとより、伯父夫婦、はては電話でしか挨拶をしたことがない従兄弟(いとこ)に降りかかる迷惑が想像でき、全身が震えた。

通孝の目が、地面に倒れているさくらへ移る。

息を吞む音。数秒の沈黙のあと、通孝は崖を降りて来た。

通孝がおれの横を擦り抜け、さくらの遺体を覗き込んだ。さくらの喉にはくっきりと絞められた痕が残り、顔にも傷がある。おれは固く目を瞑り、人殺しと罵られる瞬間を待った。

しかし、聞こえてきたのは静かな問いかけだった。

「……殺したのか?」

そのときまで気づかなかったが、通孝の口調は小学生にしては落ち着いていて、声音も優しかった。一聴しただけで、精神的に大人だとわかる。

「うん……」

おれが頷くと、通孝はしばらくその場で思案した。それから何かを決意したような顔になって、言った。

「崖を上がったところで待ってろ」

「え……？」

「いいから、登れって」

おれは命令に従った。

汗ばむ手で枝を摑み、斜面の岩を足掛かりにして行くおれを、通孝は奇妙な目つきで眺めていた。

崖の上は低木の茂みになっている。木立の隙間には登山道が見えたが、人影はない。山の頂上には見晴台があり、登山客向けのハイキングコースが整備されているものの、山菜取りの季節以外に訪れるのはもっぱら地元の子供だけだった。

おれは木の根元にしゃがみ、込み上げてきた吐き気と戦った。両手にこびりついている絞殺の感触を拭おうと、何度も両手を揉んだ。

奇妙な音が聞こえた。

見ると通孝が、後ろ歩きをしながら靴底を地面に擦りつけていた。

「……何をしたの」

崖を登って来た通孝に尋ねると、彼は口角を引いて微笑んだ。その笑顔を見たとき、おれは嫌な予感がした。

「足跡を消した」

おれは手を止めて、隣に立つ通孝を見上げた。

「黙っててやる。こんなことバレたら大変だろ」

おれは固く口を閉じた。

質問をすることで、通孝の気が変わったらと怖くなったのだ。

そこからは通孝に言われるままに動いた。

近くにある川へ行き、服を濡らして汚れを誤魔化した。そうしているうちに数人の同級生が現れ、彼らは通孝の「そこで会ったから誘ったんだ」という説明を訝りつつも受け止めた。彼が普段から、孤立している者を遊びに誘っても不審がられない性格をしていると、周囲に認識されていたということだろう。

おれの振舞いはぎこちなかったはずだが、それがかえって同年代の少年と交わる嬉しさを表明できない、コミュニケーション能力に乏しい少年らしかったはずだ。夕方近くになってから伯父夫婦の家に戻ったが、そのときには疲れ切っていた。

共働きである伯父夫婦が帰宅していなかったのを幸いに、おれは部屋で考え込んだ。

そうすると、改めて自分がしたことが胸に迫ってきた。人を殺しただけではない。おれは事件から逃げ、そのうえ、同級生を巻き込んだ。通孝がしたことは証拠隠滅と、犯人隠避。罪になるのかはわからないが、見つかればただではすまない。震えながら、改めて「なぜ通孝はおれを助けたのだろう」と思った。

午後遅く、パートに出ていた伯母が家に戻ると、おれはいつも通りの振舞いを心掛けた。この頃には通孝を道連れにしてはいけないと、そればかり考えていた。

食事の支度を手伝っていると、夕立が降った。

雷の音を聞きながら、おれはこの雨が証拠を洗い流してくれたらと祈った。

雨は一時間ともたずに止んでしまった。

やがて夜になり、夕食を終える頃、学校の連絡網から電話が入った。

さくらが帰らないというものだった。伯父夫婦も捜索隊に加わり、子供たちは学校の教師や駐在所の巡査からさくらを知らないかと尋ねられた。知らないと答えたおれは意識の片隅で、通孝が気まぐれに、おれが犯人であると通報するのではないか、と心配していた。

その不安が、ひとつの気がかりを呼び起こした。

足跡は通孝が消してくれたし、さくらを傷つけた石についた血は雨で流れただろう。

でも――凶器のリボンは？

おれがさくらの首を絞めたリボンは、もしかしたら死体の近くに置きっぱなしではないのか。だったら指紋が出て、すぐにわかってしまうのではないか。それともリボンについた指紋は、雨が洗い流してくれただろうか……。

気分が悪くなったが、おれの様子は行方不明の同級生を心配しているようにしか見えなかったことだろう。

明るくなる頃、警察犬がさくらを見つけた。

夜明けの町が沸々と滾(たぎ)ったあの朝のことを、今でも鮮明に覚えている。

2

あのできごとのあと、通孝はおれに対して不思議な接し方をした。

倉持さくらの死は変質者による他殺を疑われ、町には連日マスコミが押し寄せた。都合のいいことに、畑で農作業をしていた老夫婦が「黒い服の見慣れない男が山に入るのを見た」と証言し、警察もマスコミもその話を信じた。おれは通孝と川遊びをしていた姿を他の児童に目撃されており、伯父夫婦や教師、警察には、おかしなものは何も見ていないと証言した。さくらに意地悪をされていたことは皆が知っていたが、そもそも彼女の悪意の矛先はおれだけに向かっていたわけではない。彼女の取り巻きに加わらなかった女子や、気弱な男子は、さくらによって心に傷を負わされていた。

子供である、というバリヤーが、おれを守ってくれた。大人たちは子供はみんな純粋であると、信仰のように思い込んでいたからだ。

あの日、おれと通孝が一緒にいるところにあとから来た子供の中には、おまえが犯人じゃねえの、とからかってくる者もいた。けれど相手は本気ではなく、おれがちょっと顔を曇らせると、悪かったと謝った。

　やがて他の住民も、老夫婦の証言に引っ張られるように、そういえば他県ナンバーの車が停まっていたとか、さくらが男に話しかけられていただとか言い始めた。おそらく、事実ではない。みんなの「悪魔は外から来た」と思い込みたい信念が、存在しない犯人を作りだしたのだ。

　そうして、おれの暮らしはゆっくりと以前の状態に戻って行った。

　事件を知った母は電話をくれ、夏休みをニューヨークで過ごさないかと訊いてきた。当初の予定では、会社の休みを利用して母が日本に来る予定だったので、そのままでいいとおれは答えた。事件現場から遠く離れると、その間に何かが起きて、おれの犯行が白日の下に晒されるような気がしたのだ。母は事件から一週間後に日本に来て、おれは四日間ほど、母と一緒に北海道へ旅行に行った。おれは精一杯にカラ元気を装い、母は五日目にニューヨークに戻っていった。

　通孝がおれに接触してきたのはその頃だ。

　伯父夫婦のいない昼下がり、玄関チャイムが鳴ったので出てみると、通孝が立っていた。

　自首しようと言われるのかもしれないとぞっとしたおれだったが、通孝は「夏休みの宿題を代わりにやってくれないか」とさらりと頼んだ。

「あと、これから俺のことは名前で呼ぶんだ。友達のふりをしなくちゃいけないから。俺もおまえのことをヒサって呼ぶ」

おれは、両方とも引き受けた。

新学期が始まってすぐ、突然の雨が降った。

傘を持って来ていなかった通孝は、おれの傘を借りたいと言った。おれは傘を渡し、自分は濡れて帰った。

学期明けの最初のテストでは、いつもより低い点数を取るように命じられた。それにも応じた。

そのあとも通孝は、細々とした、けれど確実におれに不利益を与える頼み事をした。おれはそのすべてを受け容れ、従順に過ごした。周囲の人間にどう思われていたかは不明だが、さくら殺しの犯人として疑われる気配はなかった。

おれが通孝に従ったのにはきちんとした理由がある。

最初の頼みを引き受け、仕上げたプリント類を渡すために森で通孝と会ったとき、通孝はビニール袋に入れたリボンをおれに見せた。

「これが何だかわかるだろ。おまえがもたもたしながら崖を登っていくあいだに拾っておいたんだ。だから雨にも濡れてない。俺に逆らったら、これを警察に持っていくからな」

通孝はさらに、今日家を出る前に、自分の部屋におまえが倉持さくら殺しの犯人だと書いたメモを残して来たことや、帰らなかったらメモが見つかることを説明した。

おれはここで初めて訊いた。

「……どうして、こんなことするんだ？」

通孝は表情のない顔で答えた。

「さあな」

凍りついたおれを残して通孝は立ち去った。

通孝の自宅を見に行ったりもした。南欧の別荘を思わせる一軒家の前で、おれはしばらく呆然とたたずみ、やがて諦めた。

のちに知ったことだが、通孝の父は県内有数の規模の建設会社を経営しており、町の名士だったのだ。そんな権威ある親の子供に生まれても、学校内ではさほど目立つ存在ではないのだから、子供の世界において容姿や成績といった《わかりやすい魅力》がいかに重要かということだ。

年が明けて間もなく、通孝はおれに命じた。

「安藤舞（あんどうまい）とヤリたいんだ。おまえ、誘（おび）き出せよ」

安藤舞とは、さくらの取り巻きだった少女の一人だ。さくらの死後は他の取り巻きたちと一緒に行動しており、さくらが身近に置く者が皆そうだったように、安藤も世間の基準と照らし合わせて、可愛らしいといえる顔立ちをしていた。

罪の重さに震え上がったおれは、思いつく限りの回避方法を並べ立て、誘いたいなら自分で声をかければいいと訴えた。だが通孝は譲らなかった。安藤がおれのことを影で「かっこいい子だと思う」と言っていたことを、おれはこのとき初めて知った。

つまり通孝は、安藤のおれへの好意を利用して人けのない場所まで連れ出せと言っているのだ。

「断ったら共倒れだからな。俺やおまえだけじゃない。おまえを預かってくれてる伯父さんと伯母（おば）さんだって、この町にいられなくなるぞ」

「……そんなことをしたら、君だって……」

「俺はおまえに脅されたと言う。おまえ、自分が乱暴者で通ってたこと忘れんなよ」

だがおれは、これ以上罪を重ねられるほど頑丈ではなかった。

安藤におれの名前で手紙を書き、放課後の校舎裏の空き地に呼び出し、その旨を通孝に伝えたが、安藤が来る時刻よりも三十分遅くしておいた。その三十分間でおれは近所の外飼いの犬の鎖を外し、通孝が安藤に近づいて行くところを狙って、犬を放した。いつもうるさい犬は、けたたましい吼え声と共に通孝に飛びつき、その声に驚いた安藤も逃げ去った。通孝は犬を腕で払いながら、安藤とは別の方向へ走って行った。

翌日、安藤はおれに謝った。犬が誰かを襲うのを見たから、怖くて逃げてしまった、また改めて話を聞く――。

一方通孝は犬に咬まれて怪我をし、大事を取って市内の病院に入院することになった。犬はそのまま逃げて行方不明。犬の飼い主には悪いことをしたが、なんとなくおれは、あの犬は山奥で自由に暮らしたほうが幸せだと思った。

おれは安藤に、卒業と同時にアメリカへ行くこと、日本を離れる前に好きだったことを伝えたかったと嘘を言い、彼女を喜ばせた。知らないところで狙われていた安藤への、ささやかな罪滅ぼしのつもりだった。

通孝が学校に戻ったのは、三学期の終わり。初雪が降った日だった。

右腕を吊って頭に包帯を巻いた通孝とおれは、山の中へ踏み込んだ。さくらの死体が横たわった窪地は、すでに規制線も、見張りの警察官の姿もなく、うっすら積もった雪のせいで白い池のようになっていた。

通孝は長いこと黙っていた。

おれは彼のうしろに立ち、これから何を言われるのか、犬を放したのがおれだとバレているのではないかと気を揉んだ。

寒さに手足がかじかむ頃、通孝は無言でビニール袋を差し出した。

中にはさくらの首を絞めたリボンが入っている。

「……いいの？」

通孝は窪地の底を見つめたまま答えた。

「もう飽きた。それにおまえ、日本を出てくんだろう」

通孝が犬の襲撃に何を感じたのかはわからない。

けれどおれは、通孝に逃げろと言われたときのように、彼の気が変わらないうちにとビニール袋を握って山を下りた。

卒業式が行われた日、おれは成田から飛行機に乗った。

自由と民主主義を謳う国での青春は、おれの心に華やかな模様を描いた。しかしその色彩が鮮やかであればあるほど、さくらを殺した記憶の影は濃くなっていくようだった。

八年後――一九九一年。

おれは東京にいた。

予定通り小学校卒業と同時に日本を離れ、ニューヨークに渡ったおれは、高校卒業まで現地で過ごした。母はおれが十六歳のときに裕福なアメリカ人の男と結婚した。

進学先には国際学部のある日本の大学を選んだ。継父が学費の他にまとまった金を用意してくれ、おれは小さなアパートを借りてアルバイトをしながら生活した。日本は噴火するような好景気に恵まれ、あちこちの国の土地建物を買収し、平均的な年収のサラリーマンがハワイに別荘を購入した。

二年生になったおれは、就職活動中の先輩たちから、赤坂の高級レストランで行われた会社説明会の話を聞いたり、内定獲得後にプレゼントされたヨーロッパ旅行のパンフレットを見せられたりしていた。

世の中はきらきらと輝き、札束のシャワーが降る未来しか見えなかった。

そのきらめきに吞まれそうになるたびに、おれの心には黒い土に横たわる少女の姿が蘇る。そのたびにおれは、明るい未来を拒絶した。

おれは大学を出たら公務員になるつもりだった。志があったわけではなく、この時代ではダサいと言われていた就職先だったからだ。学内ではおとなしく身をひそめ、流行（はや）りの遊びはしない。金に困っていたわけではなかったが、ファーストフード店の厨房（ちゅうぼう）でアルバイトをした。マニュアル通りに調理をして、六百円の時給を稼ぐ。体の疲れを自分への刑罰の代わりにすると、ほんの少し心が軽くなった。

大学二年生の秋。

アパートに帰ると、電話が鳴っていた。

「はい」

受話器を取っても相手は無言だった。

いたずら電話かと思って、もういちど尋ねる。

「どちら様ですか？」

聞こえてきたのは濁った笑い声だった。

『話し方は変わらないな、ヒサ。どうぞいじめてくださいって言ってるみたいだぜ』

背中が凍り、心臓は熱く燃えた。

「……みち、たか……？」

『うん、俺。久しぶりだな』

「どうして電話番号……」

『おまえの伯母さんに聞いた。同窓会を企画してるって嘘を言って聞いたんだ。知ってるだろ、おまえの伯母さん、今うちの会社でパートしてるんだ』

「……何の用だ」

『会って話そう。頼みたいことがある。金曜の夜あけておけ』

電話を切ったおれは震えていた。過去に追いつかれた。しかもその過去は、より強く、暗く育って、鋭い牙を持っている。

気がつくとおれは、父から贈られた封書を探していた。

3

そのひとの名前は、クドウ。

母が結婚する直前、最後に会ったときに、実の父が教えてくれた。父はすでに本国で他の家庭を持っていたが、仕事でワシントンＤ・Ｃへ来るというので、母と一緒に会いに行ったのだ。

二人きりになったとき、父はおれに「国籍はどうするのか」と訊いた。おれはこのとき、ふたつの国籍を持っていた。出生国であるアメリカと、母の祖国である日本である。日本は一九八四年まで、外国人男性と日本人女性とのあいだに生まれた子供には日本国籍を与えなかった。だがこの年に改正され、翌年に施行されるとおれはすぐに国籍を取得した。

日本は多重国籍を認めていないから、成人する頃にはどちらか選ばなければならない。おれは日本人になるつもりだと答えた。さくらを死なせた土地との絆を保ち続けることが、せめてもの罪滅ぼしになる気がしたのだ。

すると父は、一通の封書をおれに渡した。蠟（ろう）で封がされてあって、なんとも古風だった。

「ある人の連絡先が書いてある。いつか日本に帰って、どうしようもない状況になったら会いに行きなさい。きっと君の助けになる」

ある人って？　とおれは尋ねた。

父は冗談を言うような目つきで、

「クドウという、殺し屋だよ」

と囁いた。

何をふざけているのだろうと思いつつ、アメリカを離れるときにもこの封書は手放さなかった。

通孝から連絡があった直後、おれは封蠟を破いた。

中には二通の便箋が入っており、殺し屋の呼び出し方が英語で書かれていた。最後に、ぎこちない筆遣いの漢字二文字が添えられていた。久遠。これが、殺し屋の名前だろう。

久遠との連絡の取り方は面倒なものだった。

表参道にある同潤会アパートの前に、平日の午後二時から一時間立ち続ける。

次の日もおなじことをする。

三日目、立ち去る前にその場に自分の連絡先を記したメモを石の下に残し、振り返らずに帰ること。

すると久遠から接触がある。

残して来たメモには電話番号を書いたから、てっきり電話で連絡が来るのだと思い込んでいた。

しかし、その日の深夜零時。おれのアパートに響いたのは、ノックの音だった。

「……誰ですか？」

パジャマ姿のおれは玄関ドアに張りついて呼びかけた。

覗き窓のないドアの向こうから、聞き覚えのない男の声が返ってきた。

「呼ばれた者だ」

深く苦く、それでいて甘い声。

おれの心臓は高鳴った。

「もしかして、久遠さんですか」

「他に誰か呼んだのか？」

急いでカギを外した。

アパートの廊下の明かりに、スーツ姿の壮年の男が照らされていた。灰色のスリーピーツをきっちり着込み、白髪混じりの髪を撫でつけている。片手に持った帽子は胸の位置。わずかに覗くシャツの袖口には血の色のカフリンクスを飾り、整った顔立ちには一切の隙もなかった。

父親よりも歳上の男を、おれは生まれて初めて美しいと感じた。

「入るぞ」

そう言ったときにはもう、久遠はするりと玄関に滑り込んでいた。真横にいたおれの体には一切、触れない動き。おれは息を呑み、急いでドアを閉めた。

「コーラでも……」

「いらない」

久遠は一間しかない部屋の壁際に腰をおろし、長い脚を投げ出した。

おれは向かいの壁を背にして正座をした。

「確認する。おまえ、久遠を呼んだな?」

久遠は目元に落ちた前髪を払った。すべての仕草が絵になる男だ。俺は胸が詰まり、声が上擦るのを止められなかった。

「はい、あの、外国にいる父から——」

「詳細はいらない。久遠が何なのか知ってるか?」

「……殺し屋だと聞きました」

「ん。わかっていればそれでいい。金は払えるな?」

大丈夫だと、おれは保証した。日本に渡る際に継父からもらった金がある。

久遠の声は一段低くなった。

「誰を、なぜ、殺してほしいんだ」

正直に話す以外の選択肢を与えない声音だった。

おれは背筋を伸ばし、子供時代から先日の電話まで続く物語を打ち明けた。

慎重に、言葉を選ぶ。久遠の眼差しに貫かれる緊張感で、自然と目が濡れてきたが、構ってはいられなかった。

話し終えたとき、おれはどっと疲れていた。

久遠は何も言わない。

見ると、彼はジャケットの懐から銀色のシガレットケースを取り出したところだった。

「タバコ、吸ってもいいか」

おれに喫煙の習慣はなく、部屋に灰皿はない。おれは流し台からコーラの空き缶を取って戻った。

久遠はジッポーライターでタバコに火を点け、吸い始めた。空き缶を出されたから、おれがタバコを嗜(たしな)まないとわかったのだろう。すすめてはこなかった。

甘い匂いの煙で輪っかを作る久遠は、おれの存在を忘れてしまったかのようだ。

「あのう、……久遠さん?」

「おまえの話、ちょっと気になるところがある」

久遠はふたたび沈黙した。

おれも口を閉じて彼の言葉を待った。

腿の上で握った両手が湿ってくる。こんなに張り詰めた空気は通孝といた頃にも感じたことがない。

タバコを半分ほど吸い終えたところで、久遠はようやく言った。

「久遠には守り続けている約束がある。破ることは許されない。おまえの依頼を受ければ、この約束に違反することになる、かもしれないんだ」

「約束……？」

久遠は目でおれを黙らせ、吸い殻を落とした空き缶を持って立ち上がった。

そのまま帽子をかぶり、玄関に向かってしまう。

「え？　あの」

「金曜の夜、約束通りに八柳通孝と会え」

「待ってください、久遠さん。引き受けてもらえないんですか」

靴を履いた久遠は振り返った。瞳の光を見て、おれはたじろいだ。

「おまえさ、ほんとに八柳通孝を殺したいのか？」

その言葉は垂直におれの胸に突き刺さった。

「おまえの話し方からは殺意が感じられないんだ」

「……そんな」

「だが久遠には会える。金曜の夜は、予定通りに動けばいい」

「……『会える』？」

男はちらりと笑った。

「俺は久遠じゃない。久遠のマネージャーさ。じゃあな」

啞然としているおれを残し、男はドアを開けて出て行った。男が白絹のハンカチでドアノブをくるんだのを、おれは見た。


とにかく、行くことにした。

通孝が指定したのは芝浦にあるディスコ。

有名な店なので名前だけは知っていたが、足を踏み入れたことはない。

駅から向かう通りには、目に沁みる鮮やかなボディコン服を着た女性と、羽で飾った扇子や、ぎらぎらと輝くベルトを売る露店が連なり、少人数ではあるが、肩パッドで体を大きく見せている男たちもいた。

街灯さえもが眩しい通りで、ポロシャツ姿のおれはかえって目立つようだった。トサカのように前髪を立てた女性たちが送ってくる視線を振り切るために、できるだけ速く歩いた。

入り口には行列ができていて、黒い服を着た男性スタッフが一人一人に何かを確認していた。おれのところまで来ると、相手はおれの身なりを眺め、目に侮蔑の色を浮かべながらも、中で待っている人はいるか訊いてきた。

「八柳という人と待ち合わせをしています」

「下の名前は？」

「通孝」

手元のバインダーのようなものを確認した黒服の表情が変わった。

「失礼いたしました。あなたのお名前は？」

名乗ると、黒服は慇懃（いんぎん）に、おれに列を出るように促した。ドレスコードに引っかかったので追い返されるのかもしれないと慌てたが、そうではなく、列の先頭に案内される。

そのまま優先的に入り口へと連れて行かれた。

羨望の眼差しに背中を刺されながら、おれは黒服の先導でギリシャ彫刻風のオブジェに囲まれた通路を進んだ。

床はぴかぴかに磨き上げられ、壁と天井は鏡になっている。ゴールドのシャンデリアが放つ光は太陽よりも激しく、性的な艶（なま）めかしさがあった。

黒服が突き当りの扉を開けると、音楽の突風に殴られた。テクノサウンドというのだろうか。音なのか振動なのか区別がつきにくい圧力に混じって、訛（なま）りのあるＤＪが早口でまくしたてている。ありとあらゆる色彩の光が飛び交い、人々が体をくねらせていた。

黒服がおれの耳元で叫んだ。

「八柳様は、あちらでお待ちです」

示されたのは、ダンスフロア二階の一角にある、ガラスで仕切られた部屋だった。人影は見えるが、顔まではわからない。

ぐるりと見渡すと、ダンスフロアの端に階段があって、そこから登るようだ。

おれは黒服にお礼を言ったが、黒服は戸惑いの表情を浮かべた。こういうところでの振舞い方を知らない人間をどう扱ったらいいのか、判断がつきかねているようだ。

一人で階段を上がり、狭い通路を進む。高いところから見るダンスフロアは、人でできた海のようだ。おれはまた、遠い山奥にある窪地の静けさを思い出した。

ガラスの個室に近づくと、ドアには金色の文字で『ＶＩＰルーム』とあった。

薄暗い室内の奥で、二人の男の影がソファに座っている。おれはどきりとした。久遠？　まさか。一昨日の夜は曖昧な返事しかもらえなかったのに。

おれは室内へ踏み込んだ。

「ヒサ！　来たな。久しぶり」

わざとらしい陽気さで、電話で聞いた声が呼びかけてきた。

通孝は立ち上がった。長身の立派な青年に成長しているが、ルームライトの光に照らされた顔には、十二歳の頃の面影が残っている。

挨拶もできずに、おれは通孝の隣で足を組んでいる人物へ目を遣った。

そして、息を呑んだ。その人物の性別が予想と違っていたからというのもある。けれどもおれの胸を揺さぶったのは、相手が纏っている空気そのものだった。

まるでライオン。堂々とした体を細身のパンツスーツに包み、迫力のある二重の目でこちらを観察している。開いた胸元は、見せつけるでもなく恥じらうでもなく、ただそういうものとして存在するままにさせてある。

智恵と野性の女王。そんな言葉が、おれの頭に浮かんだ。

見惚れたおれに、女はうっすらと微笑んだ。

「座れよ」

通孝に促されて、おれは二人の向かいのソファに腰をおろした。

通孝が壁に設えてある内線電話を取り、よくわからない言葉を喋った。注文をしたのだろうが、おれは、何を飲む？　とも訊かれていない。

その間、女はおれをまっすぐに見つめていた。女の髪はふさふさと肩に広がり、耳には銀色のピアスが鋭い光を放っている。部屋が薄暗いから確かなことは言えないが、化粧といえるものは、唇に塗られた真紅だけかもしれない。

おれを案内した人物とはべつの黒服の男が現れて、スカートを逆さまにしたような形のカクテルグラスを三つ、テーブルに並べた。中身はどれも澄んだ色をしていた。

黒服が出て行くと、通孝はおれと女のあいだに立ち、両腕を広げた。

「紹介する。この人はクドウさん。久しぶりという字に、遠いと書くんだ」

気絶するかと思った。

衝撃に続いて、混乱が押し寄せる。

「久遠……」

女性だったのか。

いや。そんなことよりも。

なぜ、久遠がここに。それも、通孝の側に。

久遠はおれに目を留めたまま、静かに告げた。

「久遠だ。君と一緒に仕事をすることになったらしい。よろしく」

霧雨のようなしっとりとした声も、おれの混乱を鎮めてはくれなかった。

通孝が久遠の隣に座り、説明が始まった。

「俺、会社作るつもりなんだよ。うちの親のよりもデカい会社を作って、都内に本社を持つんだ。でさ、そのために、金がいる」

通孝は足元の暗闇から小ぶりなスーツケースを取り出し、自分とおれのグラスを除けると、テーブルに載せて開けた。

中には長方形の何かと、コードで接続された握り拳大のモーターのような機械が入っていた。これが何なのか、おれには見当もつかない。

「発火装置」

こともなげに言った通孝を、おれは見つめ返した。

「……火を出す装置ということ?」

「そう。時限式のね。爆弾と違うのは、爆発するんじゃなくて盛大に炎を上げること」

ライターを擦るシュッという音がした。見ると、久遠が唇にタバコをくわえ、火を点けたところだった。マネージャーと名乗った男のジッポーライターは確か白銀だったが、彼女のは燻(いぶ)したような金色である。

二日前、おれの部屋に漂ったのとおなじ匂いが広がった。

おれは通孝に目を戻した。

「こんなもの、どうするんだ……」

「これを使って、おまえに放火してきて欲しいんだ」

「なんだって?」

通孝は豪快に笑った。

「おまえ、相変わらずいい顔するなあ。今の、あのときの顔とそっくりだったぜ。ほら、森の中で——」

「やめろ」

「じゃあ真剣な話をする。こいつを使って、ある町工場に放火しろ。その工場の生産がストップすると、納入するはずだった商品が親会社に届かない。すると親会社が契約している仕事がパアになって、別の会社が仕事を得る。そこはおれが作る会社に資金援助をしてくれる会社だ。わかるか？」

　さらさらと流し込まれた説明は醜悪で、吐き気がした。

　おれは立ち上がった。

「……放火が資金援助の条件？　そんなバカな——」

「座れよ」

　笑みを消して、通孝は命じた。

　おれは従わなかった。

「座れったら。——座れッ」

　通孝の靴がテーブルを蹴り、その音におれの肩が動いたが、おれは立ったままでいた。

　一触即発の空気に久遠の声が割って入った。

「座ったほうがいい。でないと落ち着いて話ができないよ」

見ると久遠の手に、黒い何かが握られていた。ライターではない。細い筒口とレンコンのような弾倉の——回転式拳銃（リボルバー）だった。

驚きのあまり膝の力が抜けて、おれはソファに沈んだ。それを見た通孝も、やっと久遠が銃を持っていることに気づいたらしい。顔を向け、距離を取るように体を反らした。

久遠は喉で笑った。

「大丈夫だよ。こんなのはこけおどしさ」

「……おもちゃですか。びっくりした」

胸を撫でおろした通孝を一瞥もせず、久遠は銃を片手で構えた。きれいなポーズだったが、指は引き鉄（がね）から離している。映画に出てくる銃と比べて、だいぶ小ぶりであるような気がした。

「本物だよ」

おれも通孝も息を止めた。

「弾も入っている。スミス・アンド・ウェッソン社製ポケットリボルバー、レディ・スミス。可愛いだろ？」

おれたちは同時に濁った呻き声を漏らした。

それから顔を引きつらせつつ、通孝は妙に軽い調子でまくしたてた。

「あ、あ、そっか。すごいな、久遠さん。さすが殺し屋ですね、いつも銃を持ち歩いてるなんて。でも怖いから、しまってほしいな」

おれの目つきに気づいた通孝がこちらを見た。

「こいつに話してもいいですか、久遠さん」

ふたたび久遠を見ると、彼女は唇から離したタバコを左手に挟み、右手でカクテルグラスを持ち上げていた。銃は、目を離した隙にどこかへ消えていた。

「構わないよ」

「久遠さんは殺し屋なんだ。すごいだろ。業界じゃ、ちょっとは名の知られたお方なんだぜ」

久遠は軽薄に笑ったが、反論はしなかった。

俺の顔色に気づかずに、通孝は続ける。

「今度の仕事はデカいからな。久遠さんに依頼したんだ」

「依頼……」

その一言で状況が見えた。

おれのところに来たマネージャーから話を聞いた久遠は、そのあとで通孝に接触したのだ。通孝の取引相手から話を聞いた、とでも言ったのかもしれない。だがそうすると、それは、つまり……。

「久遠さんには見張り役をお願いしたんだよ。万が一、おまえが土壇場になって尻込みして、やっぱり放火なんてできません、なんて言ったら、この人がおまえを始末する」

おれの様子を勘違いした通孝は、はからずもおれの疑問に答えてしまった。

やはりそういうことか。おれの話の何が久遠のルールに外れていたのか知らないが、通孝の側につけば確実に仕事になると踏んだのだ。あるいは、金だろうか。おれよりも通孝のほうが高い金を支払えると判断した？

絶望だ。どちらにせよ。

おれは顔を拭い、わずかばかりの抵抗をこころみた。

「だけど……おれが断ったらどうするんだ？」

「おまえは断らないよ」

通孝は身を乗り出し、スーツケースを閉じた。そしてジャケットの懐に手を入れ、透明なビニールパウチに入れたものをおれに突きつけた。

おれの胸の奥で火花が散った。

古びたリボン。こじ開けられた記憶が悲鳴を上げたから、間違いない。

「――どうして」

「おまえがアメリカに渡るときにくれてやったアレな、偽物」

おれの脳裏に、伯父夫婦宅の裏庭でリボンを燃やしたときの光景が蘇った。燃焼促進剤を使うことなど思いつかず、伯父のライターを拝借して火を点けたせいか、燃え切らないうちに鎮火してしまい、何度もライターを擦った。しまいには燃えかすに着火させようとして、手の中でぼろぼろと崩れたリボンの残骸を見て正気に戻る始末だった。

「本物を渡すと思ったのか？　バカだな。おまえみたいになんでも言うことを聞く犬がいれば、大人になってからも便利だろうと思って、とっておいたんだよ」

おれはリボンを奪おうと飛びかかったが、通孝に胸を蹴られてソファに突っ込んだ。

「次に俺に何かしたら、残念だけど久遠さんに仕事をしてもらうから」

動けなくなったおれの耳に、通孝の囁きが吹き込まれた。

「選択肢はひとつしかないんだよ、ヒサ」

4

おれと久遠を残し、通孝は部屋を出て行った。

項垂（うなだ）れていたおれは顔を上げた。

カクテルを飲み干した久遠は二本目のタバコをくわえている。

「……なぜですか」

尋ねても、久遠の表情は動かなかった。

「仕事が欲しいから」

想像通りの答え。

でも、だからって。

「ルールって何なんです。おれの何が駄目だったんですか」

久遠はタバコを灰皿に押しつけた。

「そろそろ行こう」

「行く？」

「決行は今夜」

「……そんな」

「心の準備なんてものは待たないほうがいい」

久遠は赤い唇で嫣然（えんぜん）と微笑んだ。心臓が溶けたような感じがして、おれは自分の胸を摑んだ。

「行くんだろう？」

おれはふらふらと立ち上がり、スーツケースを提げた久遠に続いてディスコを出た。

乱舞する光も音も、出入り口の黒服でさえ、おれの意識を捉えなかった。

駐車場に停めてあった久遠の車は無難なカローラ。フェアレディZやBMWあたりが似合いそうなのに、ちょっと意外だった。

助手席に乗るように言われたが、おれは突っ立ったまま久遠を見つめていた。

「何?」

「あ、いえ……。ただ、あの、殺し屋の——久遠さん、なんですよね?」

「そうだよ。見えない? 女だから驚いたかな」

「それもあります。あと……」

言いかけたおれを久遠は遮った。

「余計な話はなしだ。乗って」

言われた通りにすると、久遠はスーツケースを後部座席に置いてから運転席に座った。シートベルトをきちんと締めているので、おれも倣う。

久遠がカクテルを飲み干していたことを思い出し、一瞬不安になったが、彼女に酔いの兆候はなかった。

「グローブボックスに地図が入ってるから、取って」

入っていたのは東京の道路地図だった。久遠に渡すと、彼女は車内灯を点けて地図をめくり、ある場所を広げるとしばらく見入った。その目つきは、草原にひそんで獲物を狙うネコ科の猛獣を思わせる。

「持ってて」

地図をおれに握らせ、久遠は車を出した。

走り始めた車内を街灯の光が通り過ぎていく。金曜の夜、祭りのように賑(にぎ)やかな繁華街を抜けても、人通りはそれなりに多かった。車内に入る街灯の明かりを頼りに自分の腕時計を確認する。二十二時三十分——通孝と待ち合わせたのは二十時だったので、時の経つ速さに打ちのめされた。

沈黙が続く車内は息が詰まった。このままでいたら、おれは失神してしまうかもしれない。

「……喋ってもいいですか」

「余計な話じゃなければ」

「おれが会ったマネージャーは——」

「余計な話だ」

ぴしゃりと遮られ、仕方なく別の質問をした。

「通孝はおれのこと、なんて言ってました?」

「人殺しだって。小学生の頃、君をいじめていた女の子を森の中で石で殴り、絞殺した。事件は今も未解決で、ときどきテレビで取り上げられている」

おれは自分の顔を覆った。

「わたしは無駄なことはしない。君が久遠に接触したことは、八柳君にはもちろん内密にしてある」

久遠はライターを擦ったが、虚しい音が響くのみで火は生まれない。

おれは一言断りを入れてライターを取り、火を点けて差し出した。久遠は車の速度を緩め、直線道路であることを確認してから、頭を傾けてタバコの先端を炎に沈めた。

体が近づいても、久遠からは香水の匂いはしなかった。

ひと吸いして、笑う。

「いい気分だな。君みたいなハンサムにこういうことをしてもらうのは」

なんと返したらいいのかわからなかった。おだてるようなこと言いそうな人ではないのに、と思ったが、久遠の横顔は嘘をついているようには見えない。

こちらに視線を流した久遠の眦に疑問が滲んだ。

「なぜ笑ってる？」

「え、いえ、ただ。おれ、ハンサムですか？」

「いい男だよ。美しい」

照れくささと戸惑いが、おれに皮肉を吐かせた。

「ハーフだから、そう見えるんですよ」

「二分の一？　そんなはずはない。もっと混ざってるだろう」

「どういう意味です？」

「君、ＤＮＡって知ってるか？　遺伝子。ヒトゲノム」

「人間とか動物の、親に似たりする原因の――何か」

　久遠は豪快に笑った。

「わたしたちの体を構成する細胞を作る、はるか古代から混じり合いながら続いていた物質、らしい。まだ研究途中の分野だけど、わたしは興味があって勉強している。それによると、人類はアフリカで生まれて世界中に散り、その途中でさまざまな地域に定住し、独自の進化を遂げていった。そしてまた旅をして、再会して、一緒に暮らすこともあったらしい」

　よくわからなかったので、おれは曖昧な相槌を打った。

「歴史がどれだけ長かったか、君、想像できるか。対して人間の寿命がどれだけ短いか。わたしたちはきっとあちこちの人類と交配しながら子孫を増やし、その子孫がまた世界中に散っていった。まだ証明されたわけじゃないが、ネアンデルタール人の遺伝子さえ融けこんでいる可能性もあるそうだ。膚の色は一色じゃないし、目の色も髪の具合もさまざまであたりまえ。人類はグラデーションだよ。肉体の特性に、性格と生き方が加わって、一個の人間ができあがる。君の色は君だけのものなんだ。そしてわたしは、君の色を美しいと思う」

　久遠の話をすっかり理解できたわけではなかったが、おれの心は軽くなった。人種のるつぼと呼ばれていたアメリカでも、おれはアジア系としか見られなかったし、理不尽な差別を受けたこともある。おれはその痛みを、おれの過去の所業への罰として甘受していたけれど、久遠の言葉は罰とは無関係な傷を、気球のカゴについた不要な砂袋のようにぱちんと切り離してくれた。

　思わず礼を言いそうになって、おれははっとした。

　後部座席に鎮座しているスーツケースを見遣り、口を噤む。ふたたび心は沈んだが、それでもやはり、久遠への興味は尽きなかった。

「その話し方は、いつもなんですか」

　久遠の口調は、二日前の晩に向かい合った男のものとよく似ていた。

「うん。わよね語よりこっちのほうがいい」

「わよね語?」

「『わ』『よ』『ね』で止まる、いわゆる女言葉というやつ。可愛らしすぎて、わたしの唇にはもったいない」

　久遠はそう言って片目を瞑った。

　おれの心に新鮮な風が吹き込んだ。おれの隣でハンドルを握る久遠は、東京を飛び交う札束も、ルックスの基準にも縛られず、はるか遠い古代から未来までを一跨ぎで旅している。そんな自由な女なのだ。

だが、浮ついた気分はすぐに消えた。

久遠はある区に入ると、地図をおれから受け取り、窓から入る明かりで読みながら車を進めた。

そして腕時計が午前零時を指す頃、おれたちは町工場が立ち並ぶ川沿いの暗がりにたどり着いた。

車が停まり、エンジン音が消える。

途端に静寂が訪れ、耳がキーンと鳴った。

「そこだよ」

おれは鼻先を横切った久遠の腕を追いかけた。彼女の指先は、道路の向かいの暗闇を示していた。

夜の底に横長の建物があった。暗い空との境界線が曖昧だが、トタン屋根の典型的な町工場の隣に二階建ての住居がくっついているようだ。広さは工場と住居を合わせても、高校の体育館くらいかもしれない。日本の高度成長期を支え、今は沸騰する好景気を下支えしている小規模事業者だ。

静かすぎて、さっきまでいたディスコとおなじ街に存在している風景とは思えない。

シートベルトを外すしなやかな音が聞こえた。見ると久遠は運転席の背もたれを倒し、後部座席に置いたスーツケースに手を掛けていた。

おれが見つめていると、久遠は意味ありげに目を細めた。

「使い方を説明する」

タバコを揉み消してスーツケースを開き、窓から入るわずかな光を頼りに機械のあちこちを指さし始めた。

「ここのスイッチ、これがタイマーになっていて、セットすると三十秒後に炎が上がる。その五秒後、燃焼促進剤が種のように弾けてあたりに飛び散る。すると瞬く間にあたり一面が火の海になる」

おれはスーツケースの中の発火装置を見つめた。

「……仮に火事になったとして、証拠は残りますか」

「残るかもしれない。装置の破片やら、そこについた指紋がね」

久遠はジャケットのポケットから薄いゴム製の手袋を取り出した。

「これを使うといい。あとは足跡と落とし物に気をつけることだ」

「落とし物？」

「ＤＮＡ」

おれは手袋を受け取ったが、手は震えていた。

「八柳君は今頃アリバイを作っているし、万が一君が警察にマークされることがあれば、わたしに消させるだろう。うまくやることだね」

「……久遠さん」

「うん」

「あなたのマネージャーに、おれは殺意が足りないと言われました。それが断られた理由ですか」

久遠は撥ねつけるように言った。

「行きな」

おれは手袋を嵌め、スーツケースを持って車を降りた。

暗闇を渡って工場へたどりつく。閉まっている門の前で、どうしたら入れるのだろうと足を止めたが、よく見ると門と門柱を繋ぐ鎖は緩み、南京錠は地面に落ちていた。

久遠のしわざだろうか？

そう思って振り返ったが、久遠の車は夜と溶け合うように暗く、車内にいる彼女の顔を確かめることはできなかった。

あらかじめ準備はしてあるということか――

おれはうつろな頭で音を立てないよう鎖を解き、門の隙間から滑り込んだ。

暗闇に目が慣れ、あたりがぼんやりと見えるようになった。門の内側にはトラック二台が並べるくらいのスペースがあって、その奥が工場のようだ。工場の出入り口はぽっかりと刳り貫かれており、シャッターが三分の一ほど下ろされている。

くぐって中に入ると、授業中の学校を思い出させる匂いがした。化学薬品の臭気ではない。なんだろうと思い、さらに目を凝らすと、積み上げられた紙の束が見えた。大量のチラシが圧縮されて詰まれている。どうやらここは、紙のリサイクルの一端を担う古紙問屋のようだ。

待てよ？　とおれは思った。

最近はエコロジーブームとかで、街でも再生紙を使った商品はよく見かける。けれど大金を生み出す事業かというと、そうではないはずだ。

通孝は、ここを燃やすと通孝に出資してくれる会社が新しい仕事を手に入れるので、その報酬として融資を受けられると言った。だがそれはおかしい。会社ひとつ作るのにどれだけの元手がいるのかは知らないが、大企業から特殊な部品の注文を受けている企業ならともかく、再生紙工場へ古紙を回す問屋を燃やして大金が手に入るだろうか。

不思議に思いながら工場の中を歩いた。

足音を立てないように巡ったが、積み上げられた紙の塊も、あちこちに並んでいる古ぼけた機械も、富を生み出す装置のイメージとは程遠い。

工場の広いところに、古紙の山が並んでいた。

段ボール、チラシ、書類の残骸。原料ごとに分けられて、おれの身長をはるかに超える塊になっている。

見事なものだと思ったそのとき、物音が聞こえた。

見ると奥にあるすりガラスの扉がぱっと明るくなり、人影が映っている。逃げ出す暇はない。おれは咄嗟に紙山のうしろに身を隠した。

扉がきしみながら開いて、オレンジ色の光が床を照らした。小柄な影が光の中に伸びている。おれは片手で口を塞ぎ、スーツケースをしっかりと持った。

明かりを踏んで現れたのは、ほっそりとした人物だった。背中が曲がったおばあさんだとわかったとき、おれはいっそう息をひそめて隠れた。

寝間着姿で頭をネットのようなものに包んだおばあさんは、明かりを点けることもなく工場内をぐるりと見回した。その様子は、不審な気配に気づいた家主そのものだった。派手な音を立てたつもりはなかったのに、おばあさんは自宅の空気に混じった他人の匂いを嗅ぎ取ったのか。

おばあさんは「気のせいかしら」と呟き、戻ろうとした。

だが安堵したのも束の間、おばあさんは思いついたように、おれが隠れている紙山のほうへ近づいて来た。おれは顔を引っ込め、体を薄くしようと腹をへこませた。生きてきて初めて、自分の体格をありがたいと思った。

足音が迫って——止まった。

紙山のすぐ向こう側だ。

おれはしっかりと手で口を塞いだが、スーツケースの持ち手を摑んでいる指が滑ってきている。

……早くいなくなってくれ……。

目を瞑って祈ったとき、囁く声が聞こえた。

「行ってらっしゃい……。みんなに喜んでもらいなさいね」

おれは瞼を開けた。

そうしたところで見えるのは真っ暗な闇だったが、それでもおばあさんの声は聞こえ続けた。

「生まれ変わって、またいろんな人に使ってもらって……。がんばってね」

おばあさんは紙束を撫でたのだろう。さあっさあっと箒(ほうき)で掃くような音を残して、細い影は明かりの中へと戻って行った。

扉が閉まり、静寂と暗闇に覆われる。

足音が遠ざかって、やがて聞こえなくなった。

おれは滑り落ちかけているスーツケースを床に置いた。手は汗ばみ、震えている。

早くしなければと思いながらその場に屈み、スーツケースの留め金に触れた。

だが、外せなかった。

おれが手順通りに発火装置を起動すれば、ここは炎に包まれる。おばあさんの願いは灰になり、あの優しい声は悲鳴に変わるだろう。下手をすれば逃げ遅れるかもしれない。考えるな、とおれは自分に言い聞かせた。おれの知ったことではない。おれは弱味を握られて脅されているのだ。

留め金にかけた指に力を入れようとした。だが、いくらやっても思い通りにはいかない。しまいには手袋を外し、爪を立ててみたが、それでも指は自分のものではなくなってしまったかのように言うことを聞かなかった。

おれは脱力し、顔を覆った。涙は出なかったが、泣いているときのように喉が湿っぽくなった。

さくらを殺したのに、見ず知らずの老婆を不幸にすることはできない。

おれは所詮、そんな人間なのだ。


スーツケースの持ち手を握り直し、建物を出た。

外は風が冷たく、夜はいよいよ深くなっていた。

久遠は車の横に立っていた。くわえているタバコの火口を蛍のように揺らし、おれの右手にあるスーツケースをちらりと見る。

「……それが、君の答え？」

おれは頷いた。

「放火しないなら、君はわたしに殺されるんだよ」

それは受け容れる。どころか、構わない。望んですらいる――そんな言葉が喉元までせり上がってきたが、さすがに呑み込んだ。

代わりに頼んだ。

「その前にもういちど、通孝に会わせてくれませんか。……彼に訊かなくちゃいけないことがあるんです」

久遠は助手席のドアを開けてくれた。

5

都内へ戻り、新宿にあるマンションの駐車場で車は停まった。スーツケースは久遠が持ち、エントランスを横切る。

おれはおとなしく彼女のあとをついていった。

エレベーターで六階に上がり、廊下の奥の部屋のチャイムを押した。一度では応答がなかったが、久遠が二度三度と賑やかに鳴らし続けると、ばたばたと足音がして玄関扉が開いた。

「えっ――」

現れた通孝は呆然とおれたちを眺めた。なぜか上半身裸で、ガウンを羽織っている。

「なんで……」

言いかけた通孝は思い出したように室内を振り返り、舌打ちをして久遠に言った。

「入って。奥に隠れていてください」

なにやら慌てているが、こんなときでも久遠には敬語を使っている。

玄関をくぐるとき、久遠は車を降りてから初めておれの腕を摑んだ。ここまで来て、逃げるなという意味ではないだろう。おれは口を閉じ、彼女の真似をしてできるだけ物音を立てずに廊下を進んだ。通孝は壁に張りついて、おれたちが突き当りの部屋のガラス扉を開けるまで動かなかった。

廊下の幅と装飾からおおよその見当はついていたとはいえ、久遠と踏み込んだ部屋は豪奢(ごうしゃ)な造りだった。

二十帖ほどの広さがあり、リビングとダイニングを兼ねた空間になっている。壁一面が窓で、ビルの隙間に新宿都庁が見え、天井には金色のシャンデリア。輝きが控えめなのは、光量を絞ってあるからだろう。シックな内装の室内を、ダイニングの棚の高級そうな洋酒のボトルのきらめきが飾り、テーブルには飲みかけのワインが入ったグラスが鎮座していた。

グラスの片方には、ピンクの口紅がついている。

久遠はそれらを見てそっと笑い、おれをガラス扉から見えない壁際まで連れて行くと、耳をすますように頭を傾けた。

廊下を歩く足音に続いて、どこかの扉が開かれる。聞こえてきた水音はシャワーだろうか。

甲高い女の声で「なに？　一緒に入るわけ？」と問いかける声がした。

どうやらこれが通孝の『アリバイ作り』だったようだ。

そんな余裕はないはずなのに、追い出される女の怒りの声と、戸惑いながらも金だけは渡している通孝のやりとりを聞きながら、おれは思わず口角を上げてしまった。

だが緩んだ気分は、通孝がガウンの紐を結びながらリビングダイニングに現れたところで断ち切られた。

「なぜ来たんですか」

久遠はスーツケースを通孝の足元に滑らせた。

「彼は君の頼みを実行しなかった」

久遠は淡々と事の顚末を説明した。業務報告としてなされる解説は、一言一言がおれの命を刻むギロチンの刃だった。

聞き終えた通孝は、燃えるような目つきでおれを睨んだ。

「おまえ、わかってんのか？　俺はおまえの殺人の証拠を持ってるんだぞ。俺が警察に行けばおまえは捕まる。おまえの親戚も町にいられなくなるぞ。今からでもやって来い！」

激昂した通孝を、おれは静かに見上げた。

「なんだよ……？」

「ひとつだけ教えて欲しいんだ。どうしておれの殺人を隠したのか」

「ああ？　そんなの」

通孝は前髪を乱暴に掻き上げた。指の隙間からおれを見る目は、十二歳の頃とそっくりだった。その目に異なる色合いの感情が入れ代わり立ち代わり表れ、最後に残酷な光に固定された。

「おまえが、さくらの特別だったからだ」

「……特別？」

「さくらは美人で頭も良かった。女子の取り巻きは置いたけど、特定の男子とつきあおうとはしなかった。自分の価値を落としたくないって」

その言い方から察するに、通孝もさくらに告白してフラれた経験があるのかもしれない。

「さくらに声をかけられたとき、おまえは失敗した。でもそのあと、さくらはおまえをいじめるようにみんなに指示を出した。無視するんじゃなく、いたぶれって。さくらがおまえに関心を持った証拠だ。そのうえおまえは、テストでいつも百点を取ったよな。体育や図画工作の成績も良かった。おまえはさくらと競える唯一の男だったんだよ」

話が見えてくるにつれ、おれの拳は震え、胸が冷たくなっていった。

「そのおまえが、おれの言うことをきく。こんなに面白いことがあるか？」

おれはどんな表情を浮かべているのだろう。俺を見る通孝の顔が、醜い喜びに歪んでいった。

「安藤舞。覚えてるか？」

「……もちろん」

「あの女はな、結局、俺が食った。中学に入ってすぐに口説いて、あっさり俺のものになったよ。あいつ、おまえのことが好きだったんだってな。でも飽きたからすぐ捨てた。おれと別れたあと妊娠してるのがわかって堕(お)ろしたっていう噂だ。けどほんとだったと思うぞ。あいつ、中三になってすぐ家族ごと引っ越したから。なあ聞いてるか。おまえが守ったものは結局、俺のもんになった」

おれは頭を垂れ、目を瞑った。

ふつふつと体の奥に熱いものが湧いてくる。

けれどそれは怒りではなかった。憎しみ？　いや。むしろ、安堵だ。長いこと抱えていた疑問を溶かす熱量を持った。あの日、遠ざかって行く日本の大地を飛行機の窓から眺めたとき、頭に浮かんだ『もしかして』。認めたくなくて、考えるのも怖くて目を背け続けていた答えが正解だったと、今わかってしまった。

「君をそうしたのは……おれだったのか」

おれにとって勉強は苦ではなかった。

短時間でなんでも暗記できたし、体を動かすのも絵を描くのも得意だった。まわりはすごいと言うが、おれには簡単すぎて、できない理由がわからなかった。

だが通孝の命令で、わざとテストの点数を落としたとき。

ふと考えた。もしかしたらおれがたやすくこなしていることは、できない人間からすれば羨ましいことだったんじゃないか。持たない者が持てる者に焦がれる気持ちはおれにもわかる。ただしおれの欲しいものは、成績や容姿といったわかりやすいものではなかった。

「そうしたって何だよ。俺は俺だ。俺の勝ちなんだ」

おれは通孝を見つめた。

彼はこの日本で、きらびやかな時代に迎合するように、出会う人間を踏み台にしてのし上がったのだろう。目的のために他者を貶めたのではない。自分は優れた者だと思いたいがために、弱い立場にいる者を踏みにじったのだ。

その快楽を彼に教えたのはこのおれだ。

さくら殺し。

通孝が思い込んでいる通りの動機でさえない事件がきっかけで。

「久遠さん」

俯いたまま、おれは呼びかけた。

「うん？」

「……今からでも、おれの依頼を受けてもらえますか」

通孝が「え？」と歪んだ声を上げた。構わずに続ける。

「通孝の依頼を断らなくていい。でもおれの依頼も受けてください。おれのほうが通孝より先だったでしょ」

「おい、何言ってんだ？」

通孝の呻きを掻き消すように、久遠は言った。

「……それはつまり、君と八柳君の両方を殺すということ？」

「はい」

「待て、先ってどういうことだ」

「いいだろう。今の君の声には、本物の殺意を感じる」

おれは顔を上げた。

久遠が、レディ・スミスの銃口を通孝に向けている。

硬直する通孝を見据えて、久遠はおれに尋ねた。

「ただし、君が本当に殺したいものを殺させてもらう」

おれが意味を問うより速く、久遠は引き鉄を引いた。

乾いた音。何かを言いかけた通孝の胸に細長い筒のようなものが突き刺さり、彼は膝から崩れ落ちた。

すぐに立ち上がろうとするが、手足に力が入らない様子だ。だが目ははっきりと見開かれ、筒のようなものが刺さった胸から血は流れていない。

「麻酔弾だよ。銃を改造して、撃てるようにしたんだ」久遠の口調は愉(たの)しげだった。

通孝は徐々に動かなくなっていったが、荒い呼吸だけは続いている。

「ヒサ」

久遠は通孝の近くに歩み寄り、冷静に見下ろした。

「はい……」

「君は駐車場で待ってて」

「でも」

「行きなさい」

「……はい」

のろのろと立ち上がったおれは、一度も振り返らずに部屋をあとにした。


久遠のカローラの足元に座って時を過ごした。

前輪に寄り添っていると、自分が獣の仔で、カローラが頼れる母であるような気がしてきた。空想に甘えるのは子供の頃の自分にも許したことがない快楽だ。気がつくとおれは、後頭部をタイヤに預けて目を閉じていた。

眠りかけた頃、足音が近づいてきた。

「久遠さん……」

久遠は脱いだジャケットを片腕に掛け、もう片方の手に発火装置が入ったスーツケースを提げていた。ノースリーブのシャツから伸びる逞しい上腕に、おれは見惚れた。

「キーを渡しておけば良かったね。それにしても、地べたで寝るなんて」

おれの視線はジャケットの裏地に吸い寄せられた。

気づいた久遠が、よく見えるようにジャケットを広げる。

裏地には、液体や粉が入ったビンがたくさんと、注射器、何かの吸引器のようなものがびっしりと仕込まれていた。

「わたしが調合したクスリ。ドラッグだよ」

久遠は悠々と笑った。

「精神を破壊する。廃人にしてしまうこともできるし、心の一部を壊して二度と戻らないようにすることもできる。これで八柳君を殺しない」

脳が内容についていかない。おれは黙って瞬きをした。

久遠はジャケットに袖を通した。

「車に乗りなさい」

どうやら、おれを殺すのにふさわしい場所へ連れて行くつもりらしい。おれはのろのろと起き上がり、助手席に潜り込んだ。

車は夜の瀬戸際を走り、やがて停まった。

降りるよう命じられたので従う。

おれには抵抗する気はまったくなかった。むしろ久遠の声に頭を垂れるたび、心が甘く疼いた。

潮の香りがした。顔を上げたおれは、そこがどこかの埠頭であることに気づいた。

人けはなく、目の前には静かな海原が広がっている。右側にベイブリッジが見えたので、横浜あたりだろうと思った。

「わたしは薬物が好きで、よく仕事に使う」隣に立った久遠が独り言のように言った。「肉体のみならず、精神をも支配できるところがいい。毒も麻薬も大昔からあるが、化学の進歩と共にバリエーションが増えている。銃と拳が好きらしいあのひとは、ドラッグなんて邪道だと言うが」

久遠は喉を震わせて笑った。

「あのひと、というのは……」

「君に会いに行ったマネージャー。わたしの父だ」

「――お父様だったんですか」

久遠は笑いの痙攣を大きくした。

「似てないだろう？」

「そっくりですよ。かっこよくて、きれいで」

突然、久遠は真顔になった。

何か気に障ることを言ったのかと思っておれは黙ったが、久遠は静かに微笑むと車に戻り、スーツケースを持って戻った。

久遠はスーツケースを地面に置き、発火装置を取り出すと、スイッチを入れて離れた。

息が詰まるような数十秒が過ぎて、装置は突然、ぽんっと音を立てた。丸い炎が上がる。次の瞬間、爆竹が弾けるような勢いで、小さな粒がいくつも飛び出した。そのひとつひとつが火を纏って散らばり、あたりはたちまち炎の星空になった。

その光景を見て、おれは胸を撫でおろした。

こんなもの、紙だらけの工場の中で作動させていたら、今頃はすべてが燃えていただろう。そうならなくて良かった。本当に良かった。

久遠が腕を振ったので目で追うと、古いリボンが空中を漂って、炎のひとつに飛び込んでいった。通孝のところにあった凶器のリボンだ。おれの罪の証(あかし)は、あっけなく灰になった。

炎は数分間、燃え続けた。燃焼を助けないコンクリートの上で徐々に小さくなり、やがて、わずかな火がくすぶるのみになった。

久遠は残った火種を靴底でにじり、あるいは爪先で蹴って海に落とし、あたりをふたたび暗闇に沈めた。

これから、おれは殺されるのだ。

ドラッグなんてアメリカにいた頃にもやらなかったが、苦しいものなのだろうか。

「言い遺しておきたいことはある?」

髪をなびかせる久遠に、おれはさくらを殺したときの真実を打ち明けた。


八年前。

おれは一人になりたくて、町の子供たちが遊ぶ場所からは離れた山道を歩いていた。

さくらも驚いた様子だったが、おれが逃げると、彼女は追いかけてきた。ねえ、なんであたしを無視するの？　あのときの問いかけには、あとから思えば、いつもの彼女からは感じられない真剣さがあった気がする。

だが当時のおれは深く考えられるほど大人ではなかった。振り切ろうとして駆け出した。

直後に聞こえた斜面を落ちる音と悲鳴が、おれを立ち止まらせた。

揺れている茂みを掻き分けて覗くと、崖下の窪地にさくらが俯せに倒れていた。

おれはすぐさま斜面を降りて彼女を助け起こそうとした。するとさくらは、顔が熱いと叫んだ。見ると、窪地の底にあった尖った石が、さくらの顔に食い込んでいた。

さくらは掻きむしるように石を払った。すると右目の下から頬にかけて、ざっくりと割れた傷が現れた。さくらは指で傷口に触れ、さっきよりも悲痛な悲鳴を上げた。

当時の彼女に思いつく限りの言葉を尽くして、自分の美貌が損なわれたことを嘆いた。

幼かったおれも、できるだけの知識を総動員して、手当てすれば治るし傷も目立たなくなるはずだ、と諭した。だがおれの言葉に力はなかったと思う。あの傷が完全にきれいになる見込みがないことや、仮に治るとしても、それまでの治療の過程で、さくらがどんな思いをするか想像できてしまったからだ。

それでもおれは、さくらに崖を登ろうと促した。

さくらはおれの手を振り払い、穴の底でしばらくじっとしていた。どれくらい時間が経ったかはわからない。寄り添っていたおれに、彼女は落ち着いた声で言った。

――あんたのせいで落ちたのよ。

――悪いことをしたと思う？

――だったら、あたしを殺して。

――自殺じゃだめ。だってそんなの、あたしらしくない。

あのときおれの胸を打ったものを説明するのは難しい。だが断じて、事故の責任を負いたくないというエゴではなかった。死を求めるほどの美への執着。彼女の情熱に殉じたいと思い、同時に、おれは自分がさくらの激しさに惹かれていたのだと悟った。

さくらのリボンを使い、彼女の願い通りにした。

そこへ、通孝が現れたのだ。

真実を言わなかった理由はひとつ。

すべてをおれだけの記憶にしたかったから。

「その部分は、父にも話さなかったね。……わたしに話しちゃっていいの？」

聞き終わった久遠に尋ねられ、おれは深く頷いた。

「ええ。あなたには知っておいて欲しかったので」

久遠がついた吐息を追うように、おれは続けた。

「約束のこと、教えてくれませんか。興味があるんです」

久遠はタバコをくわえ、おれにライターを寄越した。

手で炎を守りながら差し出したおれに、久遠は説明してくれた。

「久遠には五つの約束がある。依頼人には必ず会うこと、できるだけ苦しませずに殺すこと、殺すときは相手が絶命するまでその目を覗き続けること」

久遠はゆっくりと煙を吐き出した。

「そして――誰かを救う殺しであること」

おれは声もなく、久遠の横顔に見入った。

久遠は続ける。

「君と会ったとき、父が引っかかったのはここだった。君からは強い殺意を感じず、もし言う通りにしても、君は救われないだろうと。むしろ君と八柳君、一緒に手を組んで犯罪者として生きていく方が幸せなのかもしれない。そう感じたと言っている」

膝から力が抜けて、おれはその場に座り込んだ。なんてすごい人なんだろう。まったくその通りだ。

もしそうしていたらおれたちは、大勢を不幸にしただろう。

そしてそのまま手に手を取って、地獄の底まで堕ちて行ったに違いない。

「ありがとう、久遠さん。ありがとうございます……」

風の匂いが変わった。海の縁が白くなってきている。暗闇の世界から、光の時間へ。明るくなっては久遠の仕事がやりにくいだろう。

「もういいです。やってください」

「そうだね。やろう」

おれは瞼（まぶた）を下ろした。

薬物はどうやって与えられるのだろう。注射だろうか？　何かを吸わされるのだろうか？　いずれにせよ、約束の中に『苦しませずに殺す』というのがあった。だったら心配はない。

ああ、でも。

約束は五つなのに、おれは四つまでしか聞いていない。

そう思った途端、勝手に瞼が開いた。久遠が、いつの間にか片膝をついて、おれを覗き込んでいた。

「久遠さん……？」

久遠の目がすぐそこにある。深い、吸い込まれそうな瞳だ。殺すときは相手の目を覗く。おれは彼女に殺されて、彼女の一部になるのだ。そう思うと快楽でさえあって、いっそ早くやって欲しいのに、久遠は手を出そうとしない。

「君は脆弱だ」

いきなり、そう言われた。

わかりきっていることなので、戸惑いしかない。

「そう、だと思います」

「自分の意志というものが薄い。だから、善かれ悪しかれ、強さに惹かれる」

「……その通りです。どうしようもないんです」

「私は、情熱が強すぎる。父にそう言われる。頑固だと」

それも、言う必要がないことだと思った。久遠のことをよく知っているわけではないが、この瞳を見ればわかる。

「わたしは欲しいと思ったものはそばに置かないと気が済まない。子供の頃、父が犬を拾って来たんだが、わたしに無断で手放してしまってね。そのときのわたしは、大泣きして大変だったそうだ。今でもその性格は変わらない。父から君の話を聞いたときから、わたしは君のことが気になっていた。一晩を君と過ごして、君が選んだものを見て、はっきりと君のことが欲しくなった。君の人生をもらう。それは命を取るのとおなじことだ。あのときの犬と違って、逃がさない」

おれは彼女の名前を呟いた。自分の中で何かが動くのを感じた。

「いいね？　それとも、いや？」

おれは頭を振った。おれが彼女にふさわしいとは思えない。玉座の傍らに痩せた仔犬をはべらせるようなものだ。

だが拒絶の言葉は唐突なくちづけに塞がれた。久遠の熱く、柔らかい唇に、おれの心は食べられた。


瞬きをして深く息を吸い、おれは回想を終えた。目の前には四年前とは比べものにならないほど萎んだ通孝が項垂(うなだ)れている。

「それからのことは、君も覚えているだろう。おれは薬物の副作用で起き上がることもできない君のところへ戻り、数日間、介護をした。どんな介護が必要かは、彼女から聞いていたからね。君が警察に行けないだろうことも……」

バブルのきらびやかな幻想。

そのまぼろしと戯れながら、通孝は公にできない金の稼ぎ方をしていた。おれが目覚めさせた彼の暗い一面は、他人を従わせる枠を超えて、多くの人間から奪う行為へと進化してしまっていたのだ。おれを使おうとした放火事件もそのひとつ。あの古紙問屋は、地上げ屋と呼ばれる連中に目をつけられていて、火災が起これば工場の持ち主家族が出て行くだろうという思惑だったのだ。

別れる際、通孝はおれに「ありがとう」と言った。

うつろな声は、憎いはずの相手を殺す勇気もないおれを嘲っていた。

あれから四年。

通孝の実家がリゾート開発に打って出た矢先、日本のバブル景気は消えた。故郷に戻って家業を継いでいた通孝はさまざまな手段を講じただろうが、会社は倒産し、その後も株や先物取引に手を出しては失敗。莫大(ばくだい)な借金を抱えたあげくに破産した。その頃にはおれの伯父は亡くなり、伯母は家庭を構えた息子が住む神戸へ旅立った。今では年賀状くらいしか音信がない。

「ヒサ、おまえは――」

荒い呼吸をしながら通孝は俺を見た。ぎらりと目が光ったが、内側から襲った苦痛に拭われたように消えてしまう。

久遠のドラッグが破壊したのは、彼の攻撃性だった。病気との関連性は不明だが、ビジネスで成功できなかった理由の一端ではあるだろう。それをおれの『本当の望み』だと言い切った久遠には、まったく頭が下がる。

「おまえは、どうなんだ。どうせつまらない人生を送ってるんだろ。そうなんだろ？」

おれは教えてやった。

「結婚したんだ。去年」

通孝の瞳が凍りついた。

「一緒に仕事をしている女性と。彼女は美しくて、優しくて、頼りになる素晴らしい人だ。それに、とっても可愛い」

おれは、おれだけにしか見せない妻のさまざまな表情を思い出し、頰を緩めた。

「もうすぐ子供も生まれる。幸せだよ」

通孝の歪んだ顔に微笑を投げかけて、おれは立ち上がった。

すさまじい音がした。

見ると、通孝が床を這いながらおれに追いすがっていた。

通孝の口が大きく開いたので、嘘だ、と叫ばれるのかと思った。でも違った。

「――……ろ、してくれ。ころしてくれ、殺してくれ。俺を！」

伸ばされた手をおれは払った。

「無理だ。君を殺したいと思っている人は誰もいない」

振り返らずに八柳家をあとにした。

陽はだいぶ傾いている。今から列車に乗ったとして、今日中に帰れるだろうか。妻は最寄り駅まで車で迎えに来ると言ってくれたけれど、身重の彼女にそんなことをさせるわけにはいかない。ただでさえ、おれたちの仕事と子供を持つことの相克に悩んでいるのだから。

駅舎に着いたおれは、妻に連絡するために公衆電話を探した。が、薄暗い駅舎の片隅にある公衆電話には、『故障中』の紙が貼られていた。そろそろ携帯電話を持つべきだろうか。東京に着いたら掛けることにして、時刻表を確認する。

次の列車までは三十分ほど待つようだ。

ホームに出る。風が冷たくなってきているというのに、ベンチにはまだ、さっきのおばあさんが座っていた。

おばあさんはゆっくりとおれを振り返った。

「もしかして、尚直さんとこの妹さんの息子さんじゃないですか。ほら、都会のほうから転校してきたっていう……」

おれはできるだけ優しく笑いかけた。

「違いますよ。おれは、久遠です」

久遠『朔』。

下の名前まで名乗る必要はないだろう。

ちなみに。

殺しを請け負うメインの久遠は、望(のぞみ)と名乗る。

わたしはノゾミ、あなたは、朔。彼女の甘い囁きは、今も舌にからみついて離れない。

線路の向こうへ顔を向けて、おばあさんが呟いた。

「次のには乗っているかしら……。息子が、ずっと会いたがっているお友達がいるんですよ……」

第三話

ホーム・スイート・ホーム——1965年

1

ようやく会えた男のあとを、俺は尾けていった。

道端で立ち止まると、彼は少し苛立ったようにタバコをくわえて火を点けた。真昼の表参道を行き交う人波には若い女が多く、素晴らしい長身を藍色のスーツに包んだ彼にちらちらと視線を向けている。だが男の冷たい目は、彼女たちを一瞥もしない。

昨夜の光景を思い出した俺は立ち止まり、体を駆け上る怖気が通り過ぎるのを待った。

ふたたび歩き出し、男に近づく。彼が俺に気づき、威嚇するように睨んできた。

「何か用か?」

低く、厳しく、甘い声だった。

その声に曳かれ、俺はさらに一歩彼に近づいた。

「突然すみません。あの、昨夜、人を殺しましたよね」

男の目の底が光った。

「……見たのか」

「はい」

「それで？ 警察でも連れてきたか」

「そんなことしません。ただ、頼みたいことがあって」

俺は握りしめていたものを差し出した。

掌（てのひら）ほどの大きさの、薄っぺらい革のカバーだ。手帳を包んでいたものだが、中身は抜いてある。

「本体は隠しました。渡してほしければ言うことを聞いてください」

「脅すつもりか？」

「……かもしれません」

「俺は、クドウだぞ」

クドウが何を意味するのかわからない。黙っていると男はふっと笑い、甘い匂いがする煙を吹きかけてきた。俺は反射的に顔を背けたが、その隙に手帳カバーを奪われた。

「この名前を知らないということは素人だな。俺に何の用だ。金でもせびりにきたか」

「弟子にしてください」

真顔になったクドウに、俺は詰め寄った。

「俺、英二(えいじ)っていいます。宮下(みやした)英二。十七歳になったばかりです。俺、あなたみたいな大人になりたい。昨夜のあなたは本当にかっこよかった。惚(ほ)れました。一生懸命やりますから、仕事を手伝わせてください。弟子にしてくれないなら、手帳の中身を持って警察に行って、昨夜見たことをぜんぶ話します」

俺とクドウの身長差は頭ひとつぶんある。胸がくっつくほどに接近すると、自然と見下ろされるかたちになり、昨夜のことを思い出した俺は震えた。

「……弟子？」

クドウが喋ると、くわえたままのタバコの灰が俺の頬に落ちた。

それでも俺は顔を逸らさなかった。

「はい」

クドウは空を仰ぎ、タバコの煙を吹き上げた。

それから顎を戻し、湿度のない目つきで俺を見下ろす。

「話を聞いてやってもいい。ただし、生きて帰す保証はしない」

俺は背筋を正した。

「――はいっ」

昨晩。正確には、今日の夜明け前のことだ。

ここからほど近いところにある、街灯もない狭い裏路地で、俺は揉み合う男たちを見た。背が高い細身の男と小太りな男。暗かったが、二人がいるあたりには表通りの光が届き、そこだけスポットライトが当たっているようだった。

路地はL字型をしており、俺は通路の真ん中にいて、二人は曲がり角の突き当たりでもつれ合っていた。

最初は、ケンカをしているのかと思った。

しかしすぐに、そうではないと気づいた。ケンカにしては動きが滑らかすぎる。長身の男がもがく相手の動きを殴打で封じ、悲鳴を上げようと開いた口を片手で塞いだ。そうして制圧した次の瞬間、長身の男の右手に何かが閃(ひらめ)いた。ナイフだ。俺が息を呑んだとき、刃は身動きできない相手の胸に沈んだ。

ナイフが柄までめり込み、刺された体が痙攣する。男は相手がすっかり動かなくなるまで目を覗き続けた。それはまるで、男の瞳が獲物の命を吸い取ったように見えた。

男はナイフが刺さったままの死体の襟首を掴んで、揚々(ようよう)と引きずって行った。残された俺はずいぶん長い時間、暗闇の中で立ち尽くしていたが、ふと二人が揉み合っていた場所に何かが落ちていることに気づいた。

拾い上げ、明るいところで見た。それはとんでもないものだった。


クドウについていった先には、明るい空色の車が停まっていた。丸いフォルムがユーモラスな車の名前は有名で、俺でも知っている。フォルクスワーゲン『ビートル』、通称カブトムシ。殺し屋が乗る車にしては、いささか可愛すぎる気がした。

「乗れ」

助手席を示され、俺はおとなしく従った。クドウは運転席に体を沈める。ドアを閉めると密室になり、緊張が高まった俺は勝手にすべてを話した。

聞いているあいだ、クドウはおれが渡した革カバーを弄んでいた。表面には星のマークと『警視庁』の文字が並んでいる。

「……手帳の一頁目の顔写真で、殺された男が刑事だったとわかりました。これは大変な証拠品だと思ったんです。きっとあなたは探しに来る。だからずっとその場で待って、朝になってもそこにいて、やっと現れてくれたから、後をつけて声をかけたんです」

クドウが地面を探すあいだ隠れていたのは、人目がないところで接触したら話を聞いてもらう前に殺されると思ったからだ。

クドウは革カバーを懐にしまった。

「おまえはあんなところで何をしてた？　周辺の店は午前零時過ぎにすべて閉まる。あの時間は人通りも途絶えていたはずだ」

「死のうとしてました」

クドウの動きが止まった。

「自殺するつもりだったんです。あそこ、表に小さなバーがあるでしょ。バーっていってもそんな品のいいとこじゃないですけど。俺、あそこで働いてたんです。昨夜は客にゲロを吐かれました。よくあることです。でもなんだかもう限界で、辞表置いて出てきました。全部どうでもいいやってなって……」

「死ぬのをやめて俺の弟子になりたいと思った理由は？」クドウは俺の言葉を遮るように言った。うんざりしているのかも知れない。

「さっきも言いましたけど、あなたみたいになりたいと思ったからです」

暗闇。格闘。制圧。ナイフ――殺害。すべては芸術的なまでに美しく、強かった。

「踏みつけられて生きてくしかない俺が、てっぺんにいる人間に勝つ方法。殺し屋になれば刑事の命も取れる。そんなふうになりたい」

「社会に復讐したいのか」

それはなんだか違う。

俺は貧しい脳みそを漁って、目指しているものに近い言葉を引っ張り出した。

「……ライオンになりたいんです。人間社会がシマウマの群れだとしたら、俺はそのシマウマたちに恐れられる存在になりたい。シマウマの群れにも上下関係はあると思うんです。でもいちばん威張ってるシマウマも、中くらいの位置にいるシマウマも、ライオンのことは平等に恐れるでしょう。それに底辺のシマウマは、意地悪なボスが食べられるのを見てライオンに感謝するかもしれない」

「シマウマねえ」

クドウは懐からシガレットケースを取り出して、タバコを一本引き抜き、俺にくれた。

「……ありがとうございます」

俺は火を点けてもらい、嬉しくなりながら吸いこんだ。匂いは甘いのに、味は苦かった。

顔をしかめた俺の横で、クドウも新しいタバコを吸い始めた。

「おまえの例えを使うなら、俺はライオンでおまえはシマウマだな。シマウマがライオンになれると思うのか」

「本当なら無理です。でも、俺もあなたも人間だから。訓練さえ受けられれば、俺もあなたみたいに……」

ふと、眩暈を感じた。

頭を振った俺を見て、クドウが薄く笑う。

「おまえ、殺し屋志願のくせに不用心だな。おれはさっき『生きて帰す保証はしない』と言った。なのに差し出されたタバコを疑いもなく吸うなんて」

まさか。

俺はタバコを車の灰皿に置こうとしたが、手から力が抜けて落としてしまった。

「初対面の相手から渡されたものに口をつけないなんて初歩の初歩だ。おまえみたいなやつ、殺し屋になってもすぐに死ぬ」

最後の一言は、俺の頭の中に響いた。

2

夢を見ていたかのもしれない。

集団就職で田舎から出てきて、東京オリンピックの好景気に支えられ、自分もいつか裕福になれるかもしれないなんて夢だ。選手団と一緒に鮮やかな夢も去り、絶望するまでの日々。たった二年しかなかったんだなと思ったとき、意識が浮上した。

「起きろ。起きろったら」

耳を叩く声につられて目を開けた。

ぼやける視界を瞬きで調整すると、白い光が降って来る天井を背景に、クドウが覗きこんでいた。俺は仰向けに横たわり、上半身はクドウが跨っている逆向きのイスに縫い留められている。背もたれに腕をのせた久遠がおれを見下ろしていた。

「宮下英二、十七歳。住所は原宿。勤め先はバー『クインシー』。群馬県甘楽郡出身、住所は――」

クドウはすらすらと俺の実家の住所を言い、さらには、家族全員の名前まで口にした。

飛び起きようとして、イスに阻まれる。

「おまえは十八時間ほど眠っていた。身元を調べるのには充分な時間だ。ついでに宮下英二名義のアパートへ行って、家具についていた指紋とおまえの指紋を照合した。嘘ではないようだ」

「嘘なんか言ってませんよ。俺は……」

「殺し屋になりたくて、証拠品の警察手帳を元手に俺を脅そうとしたんだな。でも」

クドウの右手が空中を泳ぎ、手品のように手帳の中身が現れた。

「――あ」

「下着の中に隠してあった」

思わず自分の下半身を見た。ズボンは穿いているが、留めていたはずのボタンが外れている。

クドウを見る。蛍光灯の光の下、クドウの表情は陰になっていてよく見えない。それでも瞳の冷酷さは伝わってきた。

手帳を手に入れたからには、もう彼は俺に用がない。

「……殺すんですか」

手帳は現れたときのようにクドウの手の中に消えた。彼は腰に腕を回すと、黒い拳銃を引き抜いて、俺に狙いを定めた。

俺は頭を床に降ろし、体の力を抜いた。

「抵抗しないのか？」

「……話したでしょう。死のうとしてたんです。あなたと会わなければ俺は昨夜のうちに死体になってた。どうぞ、いいですよ」

「本当に死にたいんだな」

「死にたいっていうか……どうでもいいんです」

「何があってそうなった？　ゲロ以外にも理由があるんだろ」

「ゲロみたいな理由しかないです」

それこそが俺を消耗させた原因でもあった。

田舎で暮らしていたときには友達もいて、親は善良だったたし、暴力を振るう教師もいない。貧しかったが食べるだけはできた。自分は幸せな人間だと思っていた。

中卒で就職を選んだ俺は金の卵と呼ばれた。時は一九六三年、戦後初のオリンピックに向けて様変わりしつつある東京で、俺は工事が始まった代々木競技場近くにあった蕎麦屋の店員になった。そこは連日満員の繁盛店。子供のいない店主夫婦は優しく、俺は二人の役に立とうと必死で働いた。オリンピックが開催された年、店主夫婦はもう一店舗出すために銀行から金を借りた。その店は俺に任せると言われ、俺は有頂天になり、どんな店にするか、従業員は何人雇おうかと考えた。

だが、新しい店は開店しなかった。オリンピックが終わった翌一九六五年、倒産した六千百四十一企業のなかに俺の勤め先も入っていた。店主夫婦はある朝、ありったけの金を持って消え、俺の預金通帳と印鑑も連れて行かれてしまった。

その後、俺は喫茶店の店員になった。気持ちは落ち込んでいたが、頑張ればいい日が来るという幻想をまだ抱いていた。喫茶店では機嫌のいい客がチップをくれたり、余った食材をもらって帰れることもあった。恋人もできた。ただ、いくら働いても生活は楽にならなかったし、チップをくれる客も食料を与えてくれる店長も俺には居丈高に振る舞った。恋人だった女は、高卒の会社員に口説かれると俺を捨てた。勤め先がバーに変わっても、俺の人生を覆う靄は晴れなかった。少しずつ、俺の心は擦り切れていった。

　俺はやっと理解した。俺の人生は盛り上がらない。かといって、自慢できる特大の苦悩もない。俺の悲鳴はその他大勢のコーラス。よくある話だね、と一笑に付される大河の一滴だと。

　俺は目を閉じた。

「死ぬときくらい、殺し屋にやられたらあの世で自慢できるかもしれない。どうぞ」

　しばらくの静けさのあと、短い言葉が降ってきた。

「久しく、遠い」

　瞼を開けると、拳銃は引っ込んでいた。

「久遠。それが俺の名前だよ」

「……きれいです」

「俺もそう思う」久遠の唇がほころんだ。「おまえは今日からサクと名乗れ。朔日の朔。久遠の弟子が使う名前だ」

　嬉しさのあまり、俺の目には涙が滲んだ。

「ありがとうございます……！」

　叫んだとき、頭のうしろのほうで物音がした。

首を反らして見た俺は、逆さまになった光景に息を呑んだ。二メートルほど離れたところにあるドアを開けて、女が立っていたからだ。赤と黄色のワンピースを着て首元にスカーフを巻いた、長い髪の女だ。歳は久遠とおなじくらいだろうか。化粧で飾られた目元に、ふるいつきたいような色気がある。

女は俺にぎこちなく微笑みかけ、久遠に目を移して言った。

「朝ごはん、できたわよ」ハスキーな声音だった。

さっきまで銃口を向けられていた俺にはあまりに場違いな台詞に聞こえて、俺は瞬きを繰り返した。

「ああ。今行く」久遠はイスの上から退いた。「おまえも食え」

女は先に部屋を出て行ってしまった。のろのろと起き上がった俺は、久遠に続いてドアをくぐり、階段を登った。階段の先には白い廊下が伸びており、突き当たりには玄関が、その手前には、壁を切り抜いたような部屋の出入り口が見えた。

朝の清々しい空気に混じって、食欲をそそる匂いが漂ってくる。

「あの、久遠さん……」

現れた光景と、殺し屋という言葉のイメージはあまりにかけ離れていた。それで思わず声をかけたのだが、久遠は何も言わず、手前の部屋に入った。

追って行くと、中は居間と食堂を兼ねた広い空間だった。

十五帖はあるだろうか。出入口は部屋のほぼ真ん中にあり、右側にはソファとテレビ、左側にはキッチンと食卓があった。四人掛けのテーブルには皿が並び、さっきの女が動き回っている。

俺の目を引いたのは、テレビの前の床で遊んでいる子供だった。女の子で、三歳くらいだろうか。くるくると巻いた髪を肩に広げ、白い毛糸の服を着て、たくさんのぬいぐるみを並べている。

先に部屋に入った久遠が、女の子に近づいて声をかけた。

「ヒメ。ごはんだよ」

深く低い久遠の声に、羽毛のような優しさが加わった。それは久遠がこの子の幸せを祈っている証でもあると感じた。

ヒメと呼ばれた幼女は、クマのぬいぐるみを抱いて立ち上がった。俺と目が合う。

女の子はおぼつかない足取りで俺に近づいて来た。

「あ、あの、どうも……」

女の子は真っ黒な目で俺を見上げ、

「だあれ？」

と首を傾げた。

久遠がすぐさま答えた。

「犬」

俺は口を開けたが、文句は言えなかった。キッチンで女が噴き出す。

「わんちゃん？」

「そう。犬飼いたがってたろ、ヒメ。良かったな」

ヒメは『姫』だろうか。根拠はないが、名前ではなく綽名であるような気がした。

「にんげんみたいね？」

「人の姿をした犬もいるのさ。ほら、お手って言ってみな」

「お手」

姫が掌を差し出す姿は、喫茶店でチップを渡してくる客の仕草とよく似ていたが、俺は屈辱を感じなかった。そっと屈んで指先をのせる。しっとりとした子供の手は、幸福だけを握っていてもらいたいと願わせる柔らかさだった。

「お利口な犬だろ。さあ、ごはんを食べよう」

姫の手を引いた久遠に目で促され、俺は食卓に着いた。久遠の向かい、女の隣の席だ。テーブルには目玉焼きと白いパン、サラダ、バター、コーヒー。毎朝パン一切れと牛乳で腹をなだめている俺には眩しすぎる朝食だった。

「いただきます」

三人の声が揃(そろ)った。

俺は背筋を正し、意味もなくあちこちを見た。殺し屋が食前の挨拶をするなんて、俺はまだ夢の中にいるのかもしれない。

「わんちゃん、『いただきます』は？」

「え……」

視線に引かれて目を遣ると、姫の隣で久遠が刃物のような目つきで俺を睨んでいた。

俺は両手を合わせ、頭を下げた。

「い、いただきます」

「いいこね」

女がまた、掠れた声で笑った。

「この女はマサミ。雅(みやび)な美しさと書く」

俺はぎこちなく頭を下げ、女は笑顔の容(かたち)を変えた。

朝食を終えたあと、俺は身なりを整えた久遠に導かれて、玄関に向かった。

革靴に足を入れながら、久遠は俺に忠告した。

「姫にはあまり構うな」

「あのう……」

「なんだ」

「雅美さんと姫は、あなたのご家族ですか」

靴べらを手にした久遠は俺を睨んだ。

「新米の殺し屋が生き延びる条件がふたつある。ひとつは、用心を怠らないこと。そして師匠の周囲を詮索しないことだ。行くぞ」

玄関を出ると二車線の大通りが広がっていた。正面には大きな石造りの建物が聳え、歩道もレンガ敷だ。外国にでも来てしまったのかとたじろいだ俺の肩を、久遠は乱暴に摑んだ。

「ここは横浜の馬車道」短く言って、俺を建物と建物のあいだに連れて行く。そこにはガレージがあり、昨日見た空色のビートルが停めてあった。

「仕事に行く。おまえは黙ってついてきて、俺の言う通りに振舞え」

俺は竦んだ。久遠の仕事、つまりは人殺しを手伝うという恐怖と、こんなに早く裏社会への第一歩を踏み出すのかという期待に鳥肌がたった。

車が走り出してすぐ、久遠はタバコを吸い始めた。甘い香りがする例のタバコだ。俺にもシガレットケースを傾けてくれたが、昨日のことを思い出して断った。

「それでいい。他人がすすめたものは断るんだ。誰も信用するな。誰かを信じるときは、そいつに殺されてもいい覚悟を持て」

かっこいい。喉元まででてきた言葉を押し戻し、頷くだけにとどめた。

久遠は都心に向かって車を走らせ、御茶ノ水(おちゃのみず)駅近くの路地で停まった。

「あそこの喫茶店に入って右奥の席に座れ。テーブルに着いたら雑誌か新聞を読むふりをしていろ。俺もあとから行くが、俺のことは見るな」

「わかりました」

「質問があればしていい」

「……これも仕事なんですよね。これからここで誰か死ぬんですか」

久遠は深い溜息(ためいき)をついた。

「殺し屋の仕事ってのは慎重にやるもんだ。いきなり街中の喫茶店でドンパチやってみろ。すぐに逮捕か、日本を出なきゃならなくなる。安心しろ、ここでは誰も死なない」

車を降りた俺は久遠から五百円札をもらい、喫茶店へ向かった。足に力が入り、おかしな歩き方になっているのがわかったが、自分ではどうしようもない。ドアを開け、黒を基調とした上品な店内に踏み込んだ。客は誰もいない。俺は初老のマスターに一礼し、レジ横のマガジンラックから雑誌を取って、右奥のテーブルに進んだ。

コーヒーを注文した時に横を見ると、通路を隔てた隣のテーブルの上に白い札が置かれており、『予約席』とあった。ひとつの予感を抱きながら雑誌を広げて待つ。

コーヒーが運ばれてきてすぐ、ドアベルが聞こえた。慎重に見遣ったが、久遠ではない。背広姿の年配の紳士だ。規則的で力強い靴音が俺の横を通り過ぎた。

紳士はマスターに案内されて予約席に座った。札を取ったマスターに、紳士はすぐに注文をした。

紳士の前にコーヒーが置かれた頃、再度ドアベルが鳴った。俺は頑なに雑誌を見続けた。入って来た久遠の気配が店の空気を変えるのを感じた。

「待ち合わせです。あ、コーヒーをひとつ。ホットで」足音が近づいて来る。「タシロさん、お待たせしました」

紳士の向かいに座り、久遠は陽気に言った。なんとなく、俺や雅美に話しかけるときとは口調が違った。

「……久遠さん」紳士のほうは、声が低い。

こちらを気にしている気がして、俺は雑誌に集中しているふうを装い、次の頁をめくった。記事の内容などまったく頭に入らない。

「その後はいかがです？」

訊かれた紳士は咳ばらいをし、さらに声をひそめた。

「一昨日、房総半島で車の転落事故が起きた。炎上した車内から見つかった遺体が、特徴からミヤベのものだと断定された」

俺は飛び上がりそうになった。ミヤベというのが宮部利久男のことならば、それは俺が拾った警察手帳にあった名前だからだ。

「それは良かった」

久遠の元にコーヒーが置かれ、彼がそれを飲む気配がした。俺もつられて自分のコーヒーを飲んだ。苦味と甘みが口の中に広がる。不安になるほど旨かった。

紳士が言いにくそうに呟いた。

「久遠は優しく殺すと聞いていた」

「できる限りは、です」

「遺体は燃えたときまだ息があったと……」

「あなたは殺し方まで指定しなかったじゃないですか」隣のテーブルがきしむ音が聞こえ、俺はそっと横目で見た。久遠がテーブルの上へ身を乗り出し、微笑んでいた。

「それにほんとは、ちょっと嬉しいでしょ。宮部利久男が苦しい死に方をして」

俺は雑誌に目を戻したが、頭の中は混乱していた。久遠はあの男を刺殺したはずだ。それとも警察手帳の落とし主と宮部利久男は別人だったのか？

呻いた紳士に久遠は続ける。

「あなたが罪悪感を抱く必要はない。やったのは俺です。あなたは何も悪くない」

「……あんたは」

「残金を支払い、忘れることです」

ごそごそと鞄(かばん)を漁る音が聞こえ、テーブルの上に何かが置かれた。俺は耳に意識のすべてを集め、ひたすら雑誌を眺めていた。

「一……三……五……五十万。確かに」

声を上げそうになり、俺は頬の内側を噛んだ。五十万円？　大卒の初任給だって二万程度なのに。しかもそれが残金だと？

「それでは、これで仕事は終わりということで。このたびはご利用ありがとうございました、タシロ警部」

こんどこそ息を呑んだ。

警察手帳に書かれていた宮部利久男の階級は『巡査部長』だった。警察組織には詳しくない俺でも、巡査部長より警部のほうが上だということはわかる。

いや、そんなことよりも。

依頼人と、殺された相手。二人とも警察官だったなんて一体どういうことだ。

久遠が席を立ち、店を出て行った。すぐにでもあとを追いたい気持ちを堪え、俺は雑誌を見続けた。タシロ警部はしばらく留まっていたが、やがて静かに腰を上げると喫茶店を出て行った。最後に見た後ろ姿は、入って来たときよりも老いて見えた。

久遠から渡された金で会計を済ませ、俺も外に出た。

「今のはどういうことですか」

ビートルの助手席に戻るなり尋ねた。

「タシロ警部は宮部利久男の上司。宮部はやくざに頼まれてある殺人事件の証拠品を隠滅し、犯人逮捕は不可能になった。宮部の罪もあきらかにはできず、それが許せなかったタシロ警部は俺に依頼した」久遠は平然と答えた。

「でも、事故で死んだって。あなたが刺し殺したのは？」

「次行くぞ」

久遠は車を発進させた。

次に停まったのは、隅田川近くの町だった。浅草寺（せんそうじ）の賑わいから離れた、木造家屋が並ぶ一角だ。

「空襲があった夜、この橋の上を炎が渡ったらしい」

車を降りた久遠は立派な橋を指した。言問橋（ことといばし）、と文字が見える。

「はあ……」

首を傾げた俺を久遠は横目で見た。なんとなく、残念そうにしている。

「まるで炎が手を繋ぐみたいだった。そう聞いた」

東京大空襲のことだろうか。俺は生まれていないが、久遠は子供だったはずだ。

「久遠さんは浅草のご出身なんですか……？」

答えることなく、久遠は歩き出した。

川沿いを進み、何度か道を曲がる。元来た道順がわからなくなった頃、久遠は一軒の店の前で足を止めた。

小さな商店のようだ。まわりは空き家が目立つ。曇りガラスの戸はぴったりと閉められ、飾りもない。ただひとつ、軒先に『プラモデルあり〼（ます）』と手書きされた短冊が下がっていた。

久遠はガラス戸を二度叩き、少しあいだを置いて、もういちど叩いた。何かの合図のようだった。

ほどなく、曇りガラスの向こうに人影が滲んだ。

「久遠です」

名乗ると、中からくぐもった声が聞こえた。

「もう一人いるね。そっちは誰だい？」

「こっちは朔」

勢いよくガラス戸が開いた。

現れたのは痩せた年配の男だった。白髪頭で、緑色のネルシャツと砂色のズボン、それに黒いエプロンを着けている。どこにでもいるオヤジのような風体なのに、瞳は深く知性的で、大学教授と言われたら信じそうな雰囲気があった。

男は俺の全身を舐めるように眺めた。

「朔……？」

どう答えていいかわからず、俺は身動きさえできなかった。

男は久遠に目を向けた。

「君、弟子を取ったのか」

「かもね」

「どういう風の吹き回しだい。こりゃあ明日にでも第三次世界大戦が始まるかな」

「あんた、俺をなんだと思ってるんだ」

屋内に入っていく二人に俺も続いた。

男がガラス戸を閉めると、かび臭い匂いが鼻を突いた。室内は薄暗く、床は土間で、壁際を埋める棚には古びたぬいぐるみやプラモデルの箱が並んでいる。どれも埃をかぶっており、長いこと動かされた形跡はなかった。

男は奥のレジカウンターのうしろへ回った。そこはひときわ暗く、男の姿は闇に埋もれそうだったが、俺は空気に混じった甘い匂いに気づいた。久遠のタバコとおなじ匂いは、カウンターの上に置かれた灰皿の、揉み消された吸い殻から立ち昇っていた。

「で、今日は？」

「このあいだの礼に来た。まずはこれだ」

久遠は懐から封筒を出し、中身を覗かせた。赤茶けた聖徳太子の肖像が見えた。

「十枚。数えてくれ」

男は受け取り、五枚を抜いた。

「今回はお互い様だから、こんなものでいいよ」

「いや、残りも受け取って欲しい。手間賃として」久遠は俺を指さした。「こいつに見学させてやりたいんだ」

男の目つきが変わった。

「本気か?」

「ああ」

「……そうか。ならもらっておこう」

差し出しかけた札を引っ込めて、残りと一緒にエプロンのポケットに入れる。男は踵を返した。

よく見ると、レジカウンターのうしろには扉があったようだ。重い音を立てて扉が開き、男の姿は吸い込まれていった。

久遠に手招きされるまま、俺も従った。

扉の中は真っ暗で何も見えない。鉄の階段を降りるような音が聞こえてきたが、壁に反響して位置はわからなかった。

「こっちだ」

久遠に手を摑まれ、指先が冷たいものに触れた。鉄の手すりのようだ。戸惑っていると、ぱっと足元が明るくなった。地下へ向かう階段が伸び、その先の空間に電気がついている。

「おーい、早く」階段の下から男が呼びかけてきた。

俺は急な階段を急いで降りた。正面と左右に一枚ずつ、金属製の扉がある。大人が三人も入ると、体が触れ合ってしまうほど狭い空間だった。

「この部屋は『保存室』。まずはここから見せよう」

左側の扉の引手を片手で摑んで、男は俺にもう一方の手を差し伸べた。

「おれのことはビクターと呼んでくれ」

日本人ではないのだろうか。不思議に思いつつ、俺はビクターと握手をした。

「ビクター・フランケンシュタイン。彼の仕事用の偽名」久遠が囁いた。

「……映画に出てくる怪物？」

「怪物を作った科学者。それから、もともとは小説」言いながら、ビクターは扉を開けた。

噴き出した冷気を浴びて、俺は身震いした。

ビクターに続いて、久遠も中へ踏み込んでいく。

あとに続いた俺は目の前に現れた光景に言葉を失った。白く霜がおりた室内に並ぶ三つの銀色の台の上に、三人の人間が横たわっていたのだ。

皆、目を閉じ、胸から下を白いビニールで覆われている。死体だと、一瞬でわかった。

「あれ？　こいつまだここにいたの」

久遠が、もっとも入り口に近いところにある死体の顔を覗き込んだ。つられてそちらを見た俺は悲鳴を上げて尻もちをついた。宮部利久男だ。少なくとも、そう見える。一昨日の夜、明かりの中に浮かび上がった横顔とそっくりだ。

ビクターが鼻で笑った。

「なんだい、君の朔はずいぶん弱っちいね。どこで拾った？」

「俺だって朔だった頃は弱かったさ」

久遠は勢いよくビニールを剝がした。

脚の付け根まで露わになった体は青白く、作り物のようだった。これが生きて動いていたなんて、にわかには想像できない。そこまで考え、まさにこの人間の最期を見届けたのは自分じゃないかとおかしくなった。

「こっちに来て見てみろ」

久遠は男の脇腹あたりを指さした。

俺は頭を振った。

「怖がるな。飛び起きやしねえよ」

久遠が近づいてきて俺の腕を取った。抵抗する間もなく、死体のそばに引っ張って行かれる。近くで見ると間違いなく宮部だった。

尻込みする俺の肩を抱き寄せて、久遠はさっきとおなじ箇所を指した。

白い皮膚にクレーターのような丸い引き攣れがある。その上には斜めの線がうっすらと走っており、膚に刻まれた印のようだ。

「銃創と、弾を取り出した手術の痕」俺は視線をずらして宮部の胸を見た。斜めにあいた楕円形の傷、久遠のナイフが潜り込んだ証が、確かにある。「ちょうどビクターが、こういう傷痕のある死体を欲しがってたんで、焼け死んだ男の遺体と入れ替えた。もちろん性別と血液型、体型が一致する遺体だ。歯の治療痕も、宮部のカルテを手に入れて細工済」

その言葉の意味を考えながら、俺は真冬のように寒い室内を見回した。

「……ここは一体」

「プラモデル屋」答えたのはビクターだった。「おれは、人体まるごと、あるいはパーツの一部を売る商売をしている。主な用途は死体の偽造、入れ替え。世の中には自分を死んだことにしたいやつが結構いるんだ。死体愛好家も買いに来る。新鮮なのからほどよく腐ったのまで、いろいろ取り揃えてある」

ビクターが部屋の外を指したので、俺は他の扉の中を想像して口元を押さえた。

「吐くなよ」

「掃除させるさ」

「そういう問題じゃない」ビクターは真剣に言った。「久遠、デー・エヌ・エーって聞いたことあるか？」

久遠は束の間、考え込んだ。

「……ＤＮＡのことか？　人間の遺伝子だろう。三年くらい前にその研究でノーベル賞を取った科学者がいたな」

「それだ。そいつが犯罪捜査に役立つかもしれないって話が出てるのさ。なんでも、遺伝子のかたちは一人一人違うんじゃないかって。だとしたら汗や唾液からでも個人が判別できる。そんな技術ができたら、おれたちの仕事はやりにくくなる」

久遠はふっと笑った。

「苦労するね。未来の久遠が」

彼の言葉の意味を深く考えている余裕はなかった。俺は久遠とビクターに両腕を取られ、半ば引きずるようにして他の部屋も見学させられた。ビクターが『熟成室』と呼ぶ向かいの部屋には、腐敗途中のあらゆる段階の死体が寝かされていた。箱のような機械がいくつも並び、その中には、水に浸けられた遺体、外の気温とおなじ温度に調整された遺体、人工的に作った日なたに置かれた死体、日陰に隠れた遺体などがあった。どれも強烈な悪臭を放っている。

俺がもうやめてくださいと泣くと、こんどは残りの一室、『部品保管庫』に引っ張って行かれた。心臓と一口に言っても個体差があること、眼球は色とりどりであることなど、中学の理科の勉強よりもさまざまな知識を得られたが、俺の記憶は途中から途切れている。

気がつくと俺は横浜の建物に戻っていた。

「殺し屋の日常体験はどうだった?」冷たい床に横たわる俺を覗き込んで久遠は言った。「こんなもの、まだまだ序の口だぞ」

俺はその夜は地下の部屋から出ず、雅美が持って来てくれた夕食にも口をつけなかった。いつの間にか眠り、そして悪夢を見て飛び起きた。自分の体から切り出された内臓を求めて、腐乱死体と凍った遺体が争う夢だった。宮部もいた。彼は俺を見つけると、胸にあいた穴を見せつけるように広げながら迫ってきて、叫んだ。

――どうして助けてくれなかったんだ!

汗びっしょりで、全身が震えていた。床に吐いたが、胃液しか出て来ない。俺は泣き、嗚咽が喘(あえ)ぎに変わる頃、ふらふらと立ち上がりドアノブに手を掛けた。

ノブはあっさりと回った。

まだ夜なのだろう。廊下は暗く静かで、人の気配はしなかった。耳をすましても外を走る車の音さえ聞こえない。俺はさまよい出るように階段を登った。

朝食をとった部屋がある一階は廃墟(はいきょ)のように無音だった。足音を忍ばせる注意力だけは残っており、俺は爪先立ちで進んだが、足の指が床を打つ音さえ大きく聞こえる。

玄関にたどりつき、自分の靴を探すのも忘れ、取っ手を押してみた。

開く。

流れ込んで来た夜の匂いに、俺ははっとなった。なぜ鍵が掛かっていないのだろう？　そういえば、地下室のドアも無施錠だった。これではまるで出て行けと言われているようではないか。

ああ、……そうか。

久遠は俺が逃げようとすることを見越していたのだ。昼間に見せられたものすべてに怖気づき、やっぱりやめたとなるだろうと予測して、鍵を開けておいた。

俺は素足のまま外に出てみた。

表は暗く、赤茶けた街灯の光がレンガ道に水溜まりのように滲んでいる。いくら待っても、久遠が現れて俺を始末してくれる気配はなかった。久遠にとっては俺など、逃げ出しても脅威ではないのだ。

そう思った途端、俺は踵を返していた。自分でも何をしようと思ったのかわからない。胸に燃える火花のような怒りに従って階段を登り、二階へ行った。久遠はどこにいるのだ、と考えた俺は、暗い廊下に伸びる光に目を留めた。

二階の廊下には、ドアが三枚、並んでいた。そのうちのひとつ、真ん中の部屋のドアが細く開いている。耳をすますとかすかな歌声が聞こえた。それが久遠の声だと気づいたとき、おれは自然と息をひそめていた。

引かれるようにドアの隙間に近づく。

そっと覗き込むと、桃色とたんぽぽ色で飾られた部屋の床に、久遠が足を伸ばして座っていた。水色のパジャマを着た久遠は、スーツ姿のときよりも逞しく見えたが、それは膝の上に俯せになっている姫がいたからかもしれない。傍らには開いたままの絵本やぬいぐるみが散らばり、眠らない姫を寝かしつけているところに見えた。

久遠は目を閉じて、姫の巻き毛をいじっていた。そうしながら低い声で歌っている。かろうじて英語であることだけは理解できた。聞いたことがあるようなメロディだが、題名はわからない。穏やかで甘く、なによりせつない一節を、久遠は繰り返していた。いとおしむように。歌詞がわからないというのに、おれの目には涙が滲んできた。

しばらくして玄関に戻った俺は、その場にうずくまった。地下室に戻らなかったのは、俺がいったんは玄関まで来たことを久遠に知って欲しかったからだ。

ドアの向こうからカラスの鳴き声が聞こえ始めた頃、久遠の足音が近づいて来た。俺は座ったまま、顔だけを上げた。

「出て行かなかったのか」

パジャマにガウンを羽織った久遠は後ろに両手を回していた。その口調は驚いてもいなければ、嘲笑いもしていない。

俺は一晩分の思いを込めて答えた。

「――はい」

久遠は微笑んだ。

「シャワーを浴びて着替えろ、朔。メシを食ったら出かける」

そう言って、久遠は隠していた手に持っていた服を俺に押しつけた。

3

言われた通りにして一階に戻ると、食卓ではすでに朝食が始まっていた。爽やかな朝の陽ざしが入る部屋でテーブルを囲む久遠たちは、幸せな家族にしか見えない。

「わんちゃん、遅いよ」

姫の無邪気な声に、俺は思わず笑みを漏らした。クロワッサンとオムレツを腹に収め、昨日とは違うスーツを着た久遠と外に出た。生まれ変わったような気分だ。朝日に照らされた街が、まったくべつの世界に映る。

ビートルに乗り込んですぐ、運転席の久遠に言った。

「服、ありがとうございました。新品ですよね、これ」

「ペットにみすぼらしい恰好をさせておくわけにもいかないからな」

言葉こそ嫌味だが、口ぶりは親し気だった。

嬉しくなりながら俺は言った。

「俺、アパートを引き払わないと」

「まだいい」

「どうして？」

「おまえ友達いないだろう。信頼できる友達がいたら、宮部の警察手帳の中身をそいつに預けるもんな。恋人もいない。いたら殺し屋になろうなんて考えない」

「……それがアパートと何の関係があるんですか」

「つまり、しばらくは誰も訪ねて来ないということだ。そのうち大家がおまえの長期不在に気づく。その頃には、おまえの遺書が実家に届くんだ」

黙り込んだ俺を、久遠は一瞥した。

「まさか、殺し屋になっても家族と連絡を取ろうなんて思ってないよな？　そんなことをしたら、いずれ親弟妹に被害がいくぞ」

「いえ、それは覚悟してきましたけど」雅美と姫の姿が浮かんだが、さすがに口答えはできなかった。「遺書は俺が書くとしても、遺書だけじゃ、警察が探すんじゃ――」

そこまで言ったところで、ビクターの『プラモデル屋』の光景が浮かんだ。

「まさか……」

「若い男の死体は一体三十万はする。おまえの給料から引くからな」

久遠はエンジンをかけた。

走り出してすぐ、久遠に一枚の写真を渡された。長閑な川沿いの土手を歩いている若い男女の姿が写っている。二人は並んで歩いているだけで手も繋いでいないが、満ち足りた表情をしていて、今にも愛の語らいが聞こえそうだ。どちらも視線はカメラのほうを向いておらず、盗み撮りしたものに見えた。

「誰です？」

「男のほうはミツモトコウイチ、女はササキミチコ。どんな字を書くかは、写真の裏側を見ろ」

俺は写真をひっくり返した。『光本浩一』、『笹木みち子』と走り書きがされている。

「明日、正確には明後日の夜明け前に、俺たちが光本浩一を殺す」

尻が座席から浮き上がりかけた。

タバコに火を点けた久遠は、二人が住んでいる東京郊外の町名を告げ、説明を続けた。

「光本は町役場勤務、笹木は小学校教師として赴任してきた。二人は結婚間近。ここまでは良かったが、光本の半年前に亡くなった母親の遺書が問題だった」

「遺書、ですか」

「簡単に言うと、息子の浩一が村の有力者の隠し子であるという内容だ。父親本人の書状もある。戸籍上は、出征して戦死した夫との子供ということになっているんだが、夫の留守中に浮気したわけだな」

「はあ……」

「光本の母親は自分の遺書と父親の書状を入れた封筒を、『自分が死んだら開けるように』と言って息子に遺した。父親の書状には、光本の実父が自分だと認める文言の他に、浩一が結婚するときには財産の一部を分け与えるとも書いてあった。光本の実父もすでに故人で、長男が跡を継いでる。わかるか？」

「……光本の腹違いの兄弟にすれば、今更財産を取られる可能性があるということですか」

「その通り。光本は律儀にも、二通の書類を腹違いの兄――キジマタカシというんだが、そいつに見せた。キジマタカシは家の醜聞だから表沙汰にはしたくないと言いつつ、結婚する際には金を渡すと約束したそうだ」

俺は何度も頷いた。それなりに社会人をしていれば、その先に続く言葉は察しがつく。

「依頼人はキジマタカシ……光本の兄ですか」

「ああ。半分血の繋がった弟を、事故に見せかけて殺してくれってよ」

苦いものが胸に広がり、俺は口元を拭った。あと少しで、何の罪もない人間を殺すんですかと言ってしまうところだった。

「今日は現場の下見だけだ。気楽にしてろ」

走り続けるうちに窓の外の景色は移り変わり、横浜を出て一時間半ほど経つと、紅葉が見事な平野が広がった。収穫を終えた裸の田畑を雑木林が囲み、そのあいだにぽつぽつと民家が並ぶ平和な光景だ。俺の田舎に似ている。もっともあちらのほうは、険しい山間部ではあったが。

見入っている俺に何かを感じたのか、久遠が話しかけてきた。

「おまえ、家族のことは本当にいいのか」

そう言われると、かすかな未練に刺された。

「悲しむとは思いますけど、弟も妹もいますから……」

純朴な両親の顔が、自分の声に影を落とすのを感じた。だが彼らは、身の回りにあるもので満足し、上へ行こうとは考えない。二人のことは好きだが、彼らとおなじ人生を歩みたくはなかった。

まだ幼い弟と妹だって、いずれは自分の生きる道を選ぶだろう。こんなふうに家族の生活を気にしてしまうのはやめなければと、俺は自分の感情を振り切った。

「そんなものなのか、家族って」

冷たい言い方だった。気になって振り向くと、久遠の横顔には陰のある表情が張りついていた。

「俺は親の顔を知らないから、そんなふうに簡単に割り切れるものなのか、それともおまえが俺には想像でもできない悲痛な決意をしているのか、わからなくてな」

俺は絶句した。師匠の周囲を詮索するなと言った久遠自ら、彼の経歴に関わる話をするとは思わなかったのだ。

久遠は平淡に続けた。

「俺は肉親どころか、自分がどこで生まれたのかも知らない。だが、俺は師匠たちのことを家族と呼んでいた。あのひとたちだけは大切だった。本当の家族ではなくてもあんなに好きになれたんだ。血の繋がりのある家族ならもっとだと思ってた。なのに、今回みたいに自分の弟を殺してくれという依頼が来たりする。まったく、人の心は不可思議だ」

師匠『たち』という言葉の意味、そしてやはり、雅美と姫のことが浮かんだが、俺は黙っていることにした。

緑が豊かな田舎道を走って行く。道路が狭く、曲がりくねっているために、車はスピードを落とさなければならなかった。

農具を担いだおじいさんとおばあさんが、道端に寄って俺たちの車に視線を送ってきた。

「大丈夫なんですか?」

閉鎖的な町では、見慣れない車は覚えられてしまうのではないか。住人の記憶に残りでもしたら、たとえ事故死に見せかけるとしても、光本の死と関連付けて考える人も出るのではないか。そんな不安を抱いたが、久遠が掻き消してくれた。

「車を見られても? 平気さ。このあたりは病院が多い。都会に近いが空気がきれいだから、結核療養所もある。見舞いに訪れる者の車がしょっちゅう通るんで、町の人はあやしまない」

町を横断する川に架けられた橋を渡り、さらに走ると、久遠は小高い山の途中に車を停めた。

降りた途端、清浄な空気に全身を包まれた。あたりは深い雑木林で、エンジンを切ると鳥の鳴き声ばかりが聞こえてくる。澄んだ心持ちになったが、ここに来た目的を思い出し、俺は気を引き締めた。

久遠は山道を五分ほど進み、やがて山の斜面を見下ろせる小さな神社に出た。境内は落ち葉が目立ち、社務所はなく、俺たち以外に人の姿は見当たらなかった。

「こっちだ」

久遠は俺を、町が一望できる柵の前に連れて行った。赤茶けた瓦屋根、トタン屋根、茅葺(かやぶき)屋根も残っている。ゆったりと流れる川はきらきら輝く巨大な蛇のようだ。畑の茶色と林の紅葉、まだ残っている緑色が、パズルのように地表を埋めている。

「あそこを見ろ」

久遠は川沿いに建つ一軒屋を指さした。

傍らに小さな畑がある平屋だ。広い庭には実をつけた柿の木がぽつんと立っている。

「あれが光本浩一の家」

俺はどきりとした。あそこに、明日の夜俺たちが殺す人間が住んでいるのか。光本はこの時間帯は役場で働いているのかもしれないが、会ったこともないターゲットの存在が急に生々しくなった。

改めて見ると、光本家の脇を流れる川の土手は、写真に写っていた光本と笹木みち子が並んで歩いていた道であるようだ。俺は息を呑んで久遠を見上げたが、久遠の横顔はいつもと変わらず落ち着いていた。

「そして、あそこにあるのがキジマ家。依頼人、キジマタカシの家だ」

久遠の指が空中を滑り、高台にある立派な屋敷を示した。二階建てで、黒い瓦屋根が日差しに照っている。庭は庭園のように整い、遠くからでも曲がりくねった松の木や、ひょうたん型の池が観察できた。

「キジマは貴い島と書く。タカシは高い志」久遠はふんと鼻を鳴らした。「光本の家の隣に川が流れているだろう。光本を殺したら、遺体はあそこに沈めておく。翌朝早く、横の土手を貴島家で手伝いをしている女が通る。そこで遺体を発見するだろう。女の自宅はずっと向こうだから、そのまま貴島家へ飛んで行くはずだ。そうしたら貴島高志は、家の者に警察への連絡を任せて若い者を何人か連れ、光本の遺体を川から引き上げる。水に浸けておくのは可哀そうだからとかなんとか言ってな。人が死ぬのは一大事だから、野次馬も集まって来て現場は踏み荒らされてしまう。と、まあ、こんな筋書きだ」

すらすらと喋るところをみると、あらかじめ依頼人と打ち合わせをしてあるのだろう。久遠は続けた。

「だが殺しというのは計画通りにいくとは限らない。おまえも気を引き締めておけ」

「計画通りにいかないっていうのは、例えばどんなことが起こるんですか……？」

「それがわかれば苦労はない。さて、戻るぞ」

久遠は乱暴に俺の肩を叩いた。

翌日、久遠は俺を三階の部屋に連れて行った。そこは書斎のような部屋だったが、実際は武器庫になっており、本棚の本の中や机の脚から拳銃やら弾やらが次々と現れた。

「銃と言っても種類はいろいろだ。自分の手に馴染むものを使え。俺の愛用はこいつ」

黒光りする拳銃は、内身を刳り貫いた百科事典の中から現れた。

俺はぞっとした。地下室で目覚めたとき、久遠に突きつけられたやつだ。

「S&Wレジスタード・マグナム。俺の手にはしっくりくるが、持ってみろ」

黒光りする拳銃をいきなり渡されて、俺は戸惑った。なんとか握りしめると、柄が太くて指が回り切らない。

「デカすぎて引き鉄を引きにくいだろ。威力があっても扱いづらいんじゃだめだ。すべては使い方なんだよ。ナイフもだ。俺が宮部を刺したとき、刃を寝かせていたことに気づいたか？」

俺は記憶を探った。確かに、刃は横向きにされていた。

「肋骨の隙間に滑り込ませないと、弾かれてしまって心臓に届かない。重要なのは、人間の体の作りを学ぶことだ」

　久遠は机にあったボールペンを取った。

「どんな道具でも凶器になるということを忘れるな。こいつを首に刺せば頸動脈を切れる。ガラスの破片だってナイフになるし、爪でさえ武器として使える。人の死は――」

　久遠は不自然に言葉を切った。

「人の死は？」

　促したおれに、久遠は牽制を感じさせる視線を送ってきた。

「死にもいろいろある。その話は、今はしない」

　久遠の講義は日中、ずっと続いた。人間の体の仕組みや脆い部分、致命傷になるところと、後遺症なく治せる部分。どこかへ出向いて拳銃を撃たせてもらえるのかと期待したが、実践はさせてもらえなかった。がっかりした反面、ほっとしてもいた。実技なしということは、今夜の仕事では俺は、アシスタント的な役割を振られるだけということだろう。

　やがて夕方になり、一階の部屋で夕食を取った。

　食べ終わっても、出発の夜十時まではまだ時間がある。

久遠は姫に「絵本を読んで」とせがまれて二階に行き、雅美と二人きりになった俺は片付けを手伝うことにした。飲食店を渡り歩いて来たので、男が家事を扶けることに恥じらいはない。

テーブルを拭いた布巾を持ってキッチンへ向かうと、雅美に声をかけられた。

「少しは慣れた？」

俺は答えた。

「……まだわからないことだらけです」

雅美は久遠の仕事を知っているのだろうか。いきなり現れた俺をあっさり受け入れていることや、久遠が「出かける」と言ってもどこへとは訊かないことから、殺し屋稼業であることはわかっているような気がするが、それでも用心する気持ちはあった。

「あなた、堅気の人だったんだってね。自殺しようとしていたところへあの人が現れて、警察官を刺し殺して、それで死ぬのをやめて弟子入りを志願した。数奇な運命ね」

「ご存知だったんですか」

雅美は弾むように笑った。

「彼があなたを連れてきた日に聞かされたわ。意識がない男の子を運んでくるんだもの。誘拐にも手を染めたのかと思って、びっくりしちゃった」

彼女の親し気な口調に、俺の心はほぐれてきた。ハスキーな声はジャズのように心地よく、久遠が雅美と一緒にいる理由が理解できた気がする。

遠慮を忘れないようにしつつ、俺は訊いてみた。

「ご迷惑をおかけしてます。あの、俺の他にも弟子がいたことってあるんですか」

会話の糸口を得るための質問だった。ビクターの反応で、これまで弟子がいなかったことはわかっている。

「さあ、どうかしら。あたしはずっと彼と一緒にいたわけじゃないから、わからないわ」

「え？　奥さんなのに？」

雅美は笑い出した。何がそんなにおかしいのか、食器をシンクに落としても声を立て続けている。

「……ごめんなさい。だって」泡だらけの指で口元を拭ったので、顎にシャボンが残った。「奥さんだなんて。嬉しくなっちゃうわ。本当にそうだったらいいのに」

「ごめんなさい。娘さんがいらっしゃるから、てっきり……」

雅美はまた笑ったが、さっきよりも湿っぽい笑い声だった。

「あたしが産んだ子じゃないわ」水道を止めた。

俺は彼女が重要な秘密を打ち明けてくれようとしていると悟った。

「おなじ店にいた女の子の子供よ。その子はまだ十四か十五だったんじゃないかしら。本当の歳は知らない。日本語が話せない子だったから。突然産気づいて、たまたまそばにいたあたしがずっと手を握っていた。姫の産声を聞きながら、母親は死んでいったわ。店の主は姫をどこかへ連れて行こうとしたけど、それだけはさせてはいけないと、あたしは直感した。だから姫を抱いて久遠さんのところまで逃げたの。久遠さんとの馴れ初めについては、話すと長くなっちゃうから省くわね」

俺は意味を成さない言葉を呟き、視線を泳がせた。

ふたたび水道を捻り、水音に紛らせながら雅美は続けた。

「それからずっと久遠さんはあたしたちを守ってくれている。でもこの暮らしもあまり長いことはない。あたしが死んだら姫を安全なところへやってくれることになっているから」

「死……？」

一瞬、頭の中を黒い想像が過った。その死は久遠によってもたらされるものなのかということだった。しかしすぐに、それだけはないとも感じた。根拠などないが、絶対の直感だった。

雅美は俺を手招きした。

キッチンの棚に整列している、親指くらいの高さしかない数本のビンを指す。

「ブロンプトン・カクテルというの。痛みを消してくれるおくすり。あたしの肺には癌があるの。健康保険証がないあたしは医者に行けなくてね。闇医者のところで診てもらったんだけど、もう手遅れだってこれを処方された。日本ではまだ手に入らないもので、特別だって。おかげで体がきつくなってはきたけど、食事の支度くらいはできる。来年の桜も見られるかもしれない。でも、もう二度と秋の空気は吸えないでしょうね」

俺は呆然と突っ立っていた。

「あなた、山手にある外国人墓地に行ったことある？」

「……いいえ」

「行ってみるといいわ。とてもきれいなところよ。春には桜も咲くし夏は木陰が涼しい。いつか来て」

雅美の言い方には、自分が墓に入ったらという前提が透けていた。

「できれば、そのとき——」

言いかけたのに、雅美はやめた。不自然な言葉の切り方は、人の死について話そうとしたときの久遠と似ていた。

「何ですか？」

「……なんでもない。いいの」

洗い終えた食器の片付けまで手伝ったが、雅美はそれ以上何も教えてくれなかった。

4

もういいわと雅美に言われたので地下室に引っ込み、しばらく横になった。

さまざまな思いが渦を巻いていたが、そのなかでひとつだけ確かなことは、雅美の話を聞いて久遠への憧れが増した事実だった。これとよく似た感情を以前にも抱いたことがある。俺を捨てた女とまだ仲が良かった頃、俺の胸を満たしていた甘い気持ちだ。けれど久遠への思いは恋よりも濃くて激しい。きちんとした名前で呼びたいが、ふさわしい言葉が思いつかなかった。

十時五分前にドアがノックされ、出てみると久遠がいた。

「行くぞ。……何だ？」

見入った俺が不思議だったのか、久遠はちょっと身を引く素振りをした。

「あ、いえ。いつもと違うんだなと思って」

久遠は全身黒ずくめの服を着て、髪を撫でつけていた。まるで暗闇に抱かれているようだ。仕事用の恰好なのかもしれないが、宮部を刺したときはスーツ姿だったのにと思った。

「仕事をするときはその場所に馴染みやすい服を着る。都会なら人目についても怪しまれない背広、夜の田舎なら溶け込める黒を」

俺は自分が着ているシャツに触れた。白いシャツでは逆効果だろう。

「こいつに着替えろ。袖と裾は折ればいい」

差し出された黒いセーターとズボンからは、久遠のタバコの匂いがした。

誰に見送られることもなく建物を出て、空色のビートルで出発したが、久遠は途中で箱型のブルーバードに乗り換えた。用心のためだろう。

車内の空気は少しずつ張り詰めていった。耐え切れず、俺は口を開いた。

「久遠さん、あのう……。光本をどうやって殺すのか、訊いてもいいですか？」

「あとで話す」

久遠の声は針のように尖っていた。

目的地が近づくと、周囲は完全な暗闇になった。ヘッドライトがなければ進むこともできないだろう。人通りはおろか、車通りもない。窓から覗いても月は見えず、代わりに信じられないほどの数の星が見えた。田舎では馴染みの光景だったのに、都会の夜空に慣れてしまって忘れかけていた夜の姿だった。

久遠は山の中に入って車を停めたが、そこが昨日の昼間に来たのとおなじ場所であるかどうか、俺にはわからなかった。

車を降りるとき、彼は後部座席から小ぶりな鞄を取り出した。銃かナイフが入っているのだろうと思って、俺は緊張した。鞄を持って、久遠は山道へ分け入っていく。たどり着いたのは開けた場所だった。神社の輪郭が暗闇の中でも黒々として、やはり昼間とおなじ場所だったようだと理解した。だがここで何をするのだろう。

久遠が町を見渡せる柵のほうへ向かったので、ついて行くと、彼は俺に木の幹のうしろに隠れているようにと命じた。言われた通りにして少し待つ。

やがて、久遠が囁いた。

「貴島家の方向を見てみろ。この暗闇だから見られる心配はないが、あまり身を乗り出さないように」

首を伸ばし、昼間眺めた高台を見遣った。

黒く沈んでいる一角に、なにやら揺らめくものが見える。白い丸い光がゆっくり左右に揺れて、まるで人魂(ひとだま)がふわふわと飛んでいるようだ。

久遠はどこからか取り出した小型の懐中電灯を点け、一瞬だけぱっと光らせた。

「……何ですか?」

「貴島高志に言ってあったんだよ。もし決意が変わらなければ、零時ちょうどに提灯(ちょうちん)を振れって」凍りついたような沈黙が挟まれた。「変わらなかったようだな」

山を下りる久遠の足取りに迷いはなかった。それどころか、この暗闇の中を見えているかのように進む。俺は彼を見失わないようにするので精一杯で、足元の感触が変わってやっと土手に踏み込んだことに気づいた。

水音が聞こえる。

顔を上げると、わずかな星明かりを集めて流れる川面(かわも)が見えた。首を捻って右側を見る。橋を越えた場所に一軒家がある。光本浩一の家だろう。

久遠に肩を押されて、俺はしゃがんだ。

「ここに光本を誘い出す。やつが現れたら、おまえが殺すんだ」

聞こえた言葉が信じられず、俺は無言になった。

金属が弾けるような音が二度、響いた。久遠が提げていた鞄の留め金を外した音だと思った。

「両手を出せ」

言われた通りにすると、何かを握らされた。固くて丸いもの。石だろうか。

「ここをこう握って、そのまま振り下ろすんだ。ちょうど尖ったところが相手の頭に当たる」

「ま、待ってください。お、俺がやるんですか?」

「そうだ」

「無理ですよ!」

叫んだ俺の頭を、久遠は叩いて黙らせた。

「殺しってのは最初の一回が難しい。ただしその一回目を越えるとラクにできる。だから躊躇(ちゅうちょ)するな。それに、殴って殺せと言ってるわけじゃない。石の一撃で殺すのは難しいと、昼間教えただろう」

俺は夢中で頷いたが、殺人を命じられたショックで記憶が飛んでいた。

「おまえは気絶させるか、痛みで動けなくすればいいんだ。最初に話しただろ？　光本の遺体は川で発見される。おまえが殴ったあと、川に沈めて息の根を止めるんだ。石も川底に放置する。水際の深さは三十センチから四十センチ、夜中に散歩して川に落ち、頭を打って気絶、そのまま溺れ死んだ。そういうことにするんだよ」

なるほどと俺は感心した。しかしすぐに動揺が戻ってきた。

「でも、もし俺が失敗したら」

「するな。失敗するかもしれないと思うから失敗するんだ。できると思えばできる」

「無茶ですよ」

「殺し屋になるんだろ。無茶して当たり前」

久遠は俺の背中を強く叩き、石を握っている両手の指の位置を確かめた。

「これで殴れば大丈夫。光本の身長は百六十センチ、おまえは百六十七センチ。振りかぶればちょうど頭頂部にあたる。土手の斜面で滑らないように足を踏ん張って、引きつけてから殴るんだぞ。殺してしまったって構わない」

「み、光本を誘い出すなんてできるんですか」

鞄を漁るような音に続いて、いきなり人の声がした。

「浩一さん？　そこにいるの？」

聞き覚えのない女の声だ。俺は慌てて周囲を見回した。

「笹木みち子の声だよ」カチリと小さな音がして、声は止んだ。「あらかじめ録っておいたんだ。そこの橋の下でこれを流す。光本が現れたら、土手の下まで引きつけて殴れ。わかったか？」

久遠の用意周到ぶりに感心するあまり、思わず頷いてしまった。

久遠は笑ったのかもしれない。間近にいても表情は見えなかったが、空気が震えた。

「よし。いいか、つらいのは最初の一回だけだ。すぐになんとも思わなくなる。おまえだって今日の夜明けには、自分が殺した死体を見下ろしながら酒を飲めるようになってるさ。おっと、まだ未成年か。じゃあサイダーだな」

そう言うと俺の肩を軽快に叩き、久遠は離れて行った。

橋の下に入ると、かろうじて追えていた久遠の姿がすっかり見えなくなった。俺は両手で石を摑んだまま、土手の斜面に身を伏せた。川面との距離を計算する。水に沈めて溺死させるつもりなら、光本が倒れたとき、できるだけ川の近くに頭がきたほうが後の行動がやりやすくなるだろう。

機械を操作する音がかすかに聞こえ、女の声が響いた。

「浩一さん？　そこにいるの？」

夜に溶ける、澄んだ声だ。よくよく聞けば雑音が混ざっているが、人の音声を録音する装置なんてめったにお目にかかるものではないから、警戒されることはないだろう。

俺の心臓が早鐘を打ち始めた。

落ち着けと言い聞かせるが、逆らうように鼓動は速くなり、手に汗が滲む。滑ってはならないと指に力を込めれば、両手は震えだした。

「どうしたの？　こっちに来なさいよ」

女の言葉に耳を傾けながら、俺はこの音声が録音されたときの状況を想像した。たぶん、久遠は笹木の家の庭に侵入して物音を立て、訝しんだ笹木が部屋の窓から呼びかけたものだろう。二人は普段からこんなじゃれ合いをしていたに違いない。笹木の声は無邪気で、少しも警戒していないのだ。

「ねえ、何してるの？」

夜を震わせるような、がたがたという音が聞こえた。録音された音声ではない生々しい音だ。俺はすぐに、光本家の雨戸が開く音だとわかった。

心臓が凍りつき、全身が強張った。足音が近づいて来る。そっと頭を上げると、真っ暗闇の中に人の輪郭が見えた。

俺より背が低いという話だったが、実物はさらに小柄だ。写真で見たときは隣に笹木がいたからあまり感じなかったが、これなら仕留められそうだ。

俺は震える体を叱咤し、これまでに受けた数々の苦痛を思い出した。俺に備蓄された不幸を燃料にして、これから俺は人殺しになるのだ。久遠がタシロ警部から受け取っていた金を覚えている。あんな大金、おれがふつうに生きていたら稼げない。学歴を笠に着た連中に勝つには、俺は裏道を這い上がるしかないのだ。

人影がすぐそばに迫った。恐れと緊張が、波が引くように消える。その一瞬を利用して、俺は立ち上がった。わけのわからない言葉を叫んでいたかもしれない。夢中で両腕を降り下ろすと、あっけない手応えが伝わってきた。

相手の体が地面に倒れた。

「やった……？」

俺は呟き、石を握りしめたまま屈んだ。興奮でぼやけた頭でも、もし光本が気絶していなかったら二撃目を打ち下ろさなければならないと考える余裕はあった。

だが横向きに倒れた相手の顔を間近から覗いた瞬間、俺はとんでもない事態を引き起こしてしまったことに気づいた。

「女？」俺の手から石が滑り落ちた。

草の上で血を流している顔は柔らかな輪郭をしており、おまけに髪が長い。束ねているから、暗闇の中を近づいて来るときにはわからなかった。投げ出された手も、ほっそりとした指を備えている。

笹木みち子。どうしようもなく、その名前が浮かんだ。

「みっちゃん？」

背後から聞こえた男の呼び声に、俺は息を呑んだ。

「みっちゃん、どう――」

男の声が不自然に途切れたのと同時に、俺は顔を上げた。

すぐそばで、見開かれた目がわずかな光を反射している。驚愕に凍りついているのは、光本の顔だった。

「おまえ、みっちゃんに何をっ」

光本は俺に殴りかかろうとしたのかもしれない。だが光本が踏み出した瞬間、乾いた音が空気を切り裂いた。竦み上がった俺の前で光本は動きを止め、痙攣した。

そのまま前のめりに倒れる。のしかかられそうになった俺は悲鳴を上げて飛び退き、尻もちをついた。

「く、久遠さん」勝手に声が漏れた。「久遠さん、たすけて」

落ち着いた靴音が接近して来る。

靴音は俺のすぐそばで止まり、音もなく屈んだが、俯せに倒れた光本ばかり注視していた俺は黒い影としてしか捉えることができなかった。

「しまった。二人が一緒にいる可能性を考えていなかった」

冷静な言い方だった。

俺は首の骨をきしませながら久遠を見た。黒ずくめの衣装を纏った久遠は、横顔だけが浮かび上がって見える。

「ご——ごめんなさ……」

久遠は頭を掻いた。その手には、大きな拳銃が握られていた。S&Wなんとか……昼間見たものだ。

「俺、俺……失敗し……」

全身が痙攣し、言葉を紡げなくなった。俺はきっと数秒後には久遠に撃たれるのだろう。そのときの衝撃までが予測できたが、心のどこかでそれでもいいと思った。

「朔」

頰を叩かれ、体の震えが止まった。

「今夜の月は月齢二十五、だいぶ欠けている。あと少しで、東から昇って来る」

久遠は空の下方を示し、俺はなぜ今、月の話なんかと思いつつもそちらを見た。星が散らばった夜空は美しく、新たな悲しみが込み上げてくる。

「あそこを見てろ。月が出るまでには戻る」

俺は何度も頷き、その言葉を頭の中で繰り返しながら待った。そばに自分が殺した死体があることは考えないようにしていたが、何度か光本の背中が動いたような気がして、そのたびに悲鳴を上げそうになった。

月がまだ昇らないうちに、久遠が車で戻って来た。降りてきた彼は、長い布のようなものを抱えている。

「死体袋」あっさりと言ってのけた。「用心のためにふたつ持って来て良かった」

久遠は光本と笹木の死体を袋に詰めて車の後部座席に積んだ。光本は床に、笹木は座席に寝かせる。俺も手伝おうとしたが、邪魔だと断られた。

「あの、ほんとに、死んでますよね」

助手席に収まった俺は尋ねた。

「さっき、死体が息をしたような気がして……」

「肺に溜まった空気が抜けた音だろう。呼吸じゃない」

久遠は車を発進させた。

規則的な揺れを感じていると、いくらか気持ちが落ち着いた。まだ動揺は残っているが、考える力は戻ってきた。俺は自分がしでかしたことに改めて打ちのめされ、項垂れる。

「大丈夫か？」

「……すみません。本当に」

「おまえが謝ることじゃない。これは俺のミスだ」久遠は漂うような笑みを浮かべた。

「宮部を殺したとき、暗がりにひそんでいるおまえに気づかなったときとおなじだな」

　彼が俺を和ませようとしてくれているとわかり、俺は感謝といたたまれなさで泣きそうになった。

「これから、あの、どう――」

「どうするか？　予備の計画に移る」久遠は溜息をついた。「ちょっと面倒ではあるが、不可能じゃない。遺書を偽造して、心中したように見せかけるんだ。別れ話のもつれによる無理心中」

　それはいい考えだ。

　ほっとしたのと同時に、握りしめていた拳が緩んだ。

「もちろん問題はある。笹木はおまえが殴打し、俺は光本を射殺した。心中というとふつうは首つりか服毒、刺し違えるか。どれにするとしても死体の傷が合わない」

　頭の中に何通りかの想像が浮かんだが、無理がある設定ばかりだった。考え続ける俺の頭に、閃きが浮かんだ。

「じゃあ……？」

「ああ」久遠は口角を吊り上げた。「ビクターのところへ行く」

5

深夜にもかかわらず、ビクターはすぐに対応してくれた。

「ちょうど商品を取りに来た客が帰ったところさ。臭うかもしれないが、我慢してくれ」

確かに一階の店舗部分にまで胃を突くような悪臭が漂っていた。だがそれも、光本と笹木の遺体を運び込んでいるうちに感じなくなってしまった。地下の『保存室』にふたつの死体袋を並べたが、部屋の寒さは一昨日よりは緩く、並んでいた死体はすべてなくなっていた。

「で、どうした？　君が連絡もなしに死体を担いでくるなんて、ただ事じゃないだろ」

久遠が簡潔に説明するあいだ、俺は俯（うつむ）いて立ち尽くしていた。

聞き終えたビクターは頭を掻いた。

「……まあそういうこともある。心中に見せかけられる若い男女の死体が欲しいってことか。で、こっちの二人はおれが引き取ると」

「簡単に言うとそうだ。完全に一致してなくてもいい。ある程度腐らせてから山奥に持って行くから」

「まあ、できなくはないけどねえ」

「金はこれでどうだ」

久遠は指一本を立てた。俺の想像通りの金額なら、いよいよもって申し訳ない。

ビクターは片頬を吊り上げた。

「ずいぶん出すね。いいよ」

どこかに電話を掛けると言ってビクターは上階へ姿を消した。残された俺はもういちど頭を下げた。

「……必ず恩返しします」

「恩は取っておけ。金はおまえの給料から引く」

何年かかることか。

「一生懸命、働きます」

笑い声を立てた久遠がタバコをくわえたとき、ビクターが戻ってきた。

二人は部屋を出て、何かを話し始めた。俺は遠慮して離れたところにいたが、久遠の背中が扉を押さえているので会話の内容は漏れ聞こえてくる。「ツテが」だの、「多少歳は上だな」といった断片から、さっそく死体を手に入れる算段がついたようだ。

　話を終えると、久遠は俺を振り返った。

「ここで待てるか？　一時間くらい」

　どことなく優しい、子供に尋ねるような言い方だった。できませんと言えば連れて行ってくれそうな気配だったが、だからこそ俺は意地を張った。

「はい」

「うん」久遠は満足そうだった。「こいつを貸してやる。お守りだ」

　黒く大きな久遠の拳銃を渡された。こんどは名前も思い出すことができた。レジスタード・マグナムだ。

　久遠とビクターは並んで階段を登って行った。鉄の階段を打つ足音が、上階の床を叩く音に変わり、やがてガラス戸の開閉と共に物音は消えた。

　俺は死体と一緒にいるのが嫌で、部屋を出て階段に腰かけた。胸に拳銃を抱き、頭の中に今はもう空に昇ったのであろう月の姿を思い描いた。朔という言葉が新月を意味するくらいは俺でも知っている。見えないが存在している月。久遠の弟子は、そういう存在だということだ。

　手が震えた。他のことを考えようとすればするほど、笹木みち子を殴ったときの感触が蘇ってくる。石を振り下ろしたときは夢中だったのに、時間が経つと細部まで鮮やかに思い出すことができた。笹木の頭を殴打したとき、石の一部がへこんだかのような、奇妙な感触がした。これまでの人生で味わったことのない不気味な手応えだった。

俺は拳銃を握りしめて手の震えを止めようとした。だが無駄だった。殺人は一度すれば慣れると言われたのに、体は異常事態に狼狽（ろうばい）し、心は混乱している。

物音が聞こえた気がして、俺は顔を上げた。

考え込んでいるうちに時間が経って、久遠たちが戻ったのだろうか。だが耳をすましても天井は静かだった。気のせいかと思い、顎を引いたとき、また音が聞こえた。間違いようがない。光本と笹木の遺体を置いた『保存室』からだ。

「そんな――」

思わず呟き、腰を浮かした。

こんどはより大きな音がする。連続したその音は、ビニール製の死体袋を擦る音に聞こえた。

反射的に階段を駆け上がろうとした俺は、手すりを握ったところで我に返った。逃げてどうする。どこへ行くというのだ。久遠が教えてくれたではないか。死体の肺から空気が漏れることもある。この音はそういう音か、あるいは俺が知らない自然現象の何かだ。

震えが収まった手で拳銃を構え、俺は『保存室』に飛び込んだ。

「たすけてくれ！」

聞こえた声と、目の前の光景に打ちのめされて、俺は開けたままの扉に背中をつけた。

顔の半分が血に染まった光本浩一がしっかりと立って、死体袋から上半身を起こした笹木みち子の背中を支えている。

「あんた病院の人か？　みっちゃんを助けてくれ。俺たちはまだ生きてるっ」

その叫びで俺は理解した。目を覚ました光本が死体袋から出て、この部屋を病院の遺体安置室と思い込み、おなじくまだ息がある恋人を助け起こしているのだ。光本に抱かれた笹木も、うっすらと目を開けて恋人の腕を摑んでいる。

「お願いだ、みっちゃんのほうが怪我がひどい！」

俺の手からレジスタード・マグナムが落ち、大きな音を立てた。

光本の目が黒い拳銃に吸い寄せられる。

「ピストル……？」

慌てて拾ったが、俺を見た光本の目はここが病院ではないと悟っていた。

「あんた一体、誰なんだ」

俺は拳銃を構えた。

銃口に狙われ、光本は怯えて後ずさった。だが笹木の体に回した腕は外れない。

「やめろ、なんで」光本ははっと目を光らせた。「まさか、貴島さんが……？」

俺は驚き、咄嗟に息を呑んでしまった。

その表情に光本は状況を読み取ったらしい。怒鳴るように続けた。

「貴島さんが俺を殺せって？　みっちゃんもろとも？　そうなのか？」

俺は答えなかったが、光本はいきなり俺にぶつかってきた。咄嗟のことで俺は引き鉄を引くのではなく、拳銃を持った手で光本を殴ろうとした。だが俺の足は滑り、床に倒れ、その拍子に背後の扉が閉まった。そのまま揉み合いになったが、光本の力は弱い。俺は彼を突き飛ばし、立ち上がって拳銃を構えた。

「やめて！」

台から飛び降りた笹木が、床を這って俺と光本のあいだに割り込んだ。

「やめて……浩一さんを殺さないで」

俺は初めて笹木の顔をはっきりと見た。小学校の教師というが、まだかなり若い。大学を出たばかりなのかもしれない。懇願に満ちた表情を、額にこびりついた血が恐ろしいものに変えている。俺の手に震えが戻ってきた。

「どけ」

何を言っているんだ、と頭の隅のほうから声がした。彼女も殺さなければ。俺は、殺し屋の弟子なのだから。

「やだ」笹木は泣き声で言った。「浩一さんに何もしないで」

「みっちゃん……」

仰向けに転がった光本は、ゆるゆると両手を上げた。今になって頭の傷が響いてきたのかもしれない。立ち上がることができないらしく、足で虚しく床を掻いている。

「みっちゃんは、関係ないだろう……ぼくだけを殺せ——」

「やめろ」

俺は唸ったが、それは庇い合う二人への言葉ではなかった。俺の心を侵食する澄んだ諦念、良心への拒絶だった。

「ぼくは、死んでもいいから……」

「やめて、浩一さん。あなたが死ぬなんて嫌！」

「ごめん、みっちゃん……」

俺はもう一度、やめてくれ、と叫んだ。叫んだつもりだった。しかし声は出ず、拳銃はふたたび手から滑り落ちた。

6

泣き崩れた俺のそばへ、光本と笹木が寄ってきた。

拳銃はすぐそこにある。

拾われて、撃たれたら、俺は死ぬ。でも俺は、久遠に殺されても構わないと思うのとはまたべつの潔さで、それでもいいと思った。

「あの、あなた。大丈夫……？」

笹木の声は優しく俺の心を撫でた。

俺は息を呑み、目を見開いた。涙がぴたりと止まる。

「もしかして、あんたも脅されてるのか？　誰がそんなことしてるんだ。一緒に逃げよう」

俺は頭を上げた。

傷ついた二人が、それでも心配そうに俺を見下ろしている。

俺は目元を拭った。もう誤魔化しようがない。俺が彼らを殺そうとしたのは、間違いだった。

「……ごめんなさい……本当に、ごめんなさい……」

俺が繰り返すと、笹木は自分の額に手をやった。

「血は止まったみたいだし、まだ少し痛いけど、大丈夫よ。それより浩一さんが」

「ああ」浩一は力なく微笑んだ。「こっちはまだちょっと……眩暈がする」

それはそうだ。彼は拳銃で撃たれたのだから。

俺は改めて光本を見たが、目はきちんと開いているし、顔色も悪くない。弾丸は頭を掠っただけで、脳を貫いてはいないのだろう。久遠らしからぬ失態のような気がするが、彼にとっても咄嗟のことで、確認する暇がなかったに違いない。

でもそれで良かった。おかげでこの人たちを死なせずに済んだ。

俺は立ち上がり、黒い拳銃を拾った。

「あなたたちを逃がすよ」

「……いいの？」

見上げてきた笹木に、俺は気力を振り絞って微笑んだ。

「俺は警察に行く。やっぱり向いてなかったんだ」

「向いてない？」

尋ねた光本に、俺は視線を向けた。

「殺し屋」

その一言に光本がどんな物語を想像したのかはわからない。しかし彼ははっとして笹木を見遣り、互いにしかわからない言葉で会話をするようにしばし見つめ合った。

「人を殺すってことがどんなことなのか、俺は全然わかっていなかった……」

そっと言って手の中の拳銃を見たとき、俺の将来の映像がいくつも浮かんだ。ふつうの社会でも這いつくばるようにしか生きられず、闇の世界でもやっていけなかったみじめな俺。警察に行っても久遠のことは話さないつもりだ。俺が貴島高志に金で雇われて二人の殺害を企てたが、できなかった。そういうことにすれば俺は、惨めなチンピラとして前科がつくわけだ。

「でも、いいんだ。これで、いいんだ――」

中途半端な臆病者。それが、俺の本性だったのかもしれない。

「行こう。歩ける?」

笹木と光本に問いかけたとき、二人の顔つきが変わった。

振り返った俺はその意味を悟った。扉がいつの間にか開き、そこに久遠が立っていたのだ。

「久遠さん――」

光本たちが竦み上がる気配がした。名前の意味を知らなくても、久遠が纏う雰囲気から彼の危険性は感じ取れたのだろう。

久遠は無言のまま右手を持ち上げた。彼の手にも拳銃があった。俺が握っているのよりは小さいが、彼の書斎で見たものかどうかまではわからない。

銃口は、ぴたりと光本たちを狙っていた。

俺は咄嗟に二人を背中に庇った。

「……どういうつもりだ」

「やめてください。俺、警察に行きます。全部俺のせいにします。だから」

久遠はわがままを言う子供を前にしたように眉を寄せた。

「わかるよ、朔」『朔』の部分を久遠は強調し、俺の心臓は大きく震えた。「初めての仕事で失敗すると弱気になる。でもそこで自分に負けちゃだめだ。おまえ、殺し屋になるんだろう？　どけ」

久遠は銃口を揺らして、俺を追い払う仕草をした。

なぜそんなことができたのかわからない。

俺は右腕を上げ、拳銃を久遠に向けた。二丁の拳銃が、ほんのわずかな隙間を挟んで向かい合う。

久遠の表情から余裕が消えた。

「おまえ――」

俺は足を開き、身構えた。引き鉄を引く衝撃に備えたのではない。こんな至近距離だ。たとえ俺が発砲できても、久遠のほうが速いに違いない。しかも久遠が放った弾は、確実に俺の急所を破壊するだろう。俺が倒れるまでの数秒で、二人は久遠の脇を走り抜けて行かなければならない。俺が久遠にどれくらいの傷を負わせられるかで、二人の運命が決まる——。

「逃げて！」

引き鉄を引いた。だが、銃声はしなかった。

何度指を動かしても、カチリ、カチリ、と虚しい音だけが響く。

息を呑んだ俺に久遠が微笑んだ。

「弾は抜いておいたよ」

そう言って久遠は一歩近づき、俺の額に銃口を押し当てた。

派手な音が轟いた。

暗闇の川岸で聞いた音とは違う、もっと軽薄で、明るい音だ。

俺の視界いっぱいに赤や白のリボンが踊り、金色の紙切れが降り注いた。まるで誕生日パーティーのクラッカーだ。それらを目で追った俺は、久遠が銃を撃つ寸前に銃口を俺の額からずらし、頭上に定めてから引き鉄を引いたことに気づいた。

「え……？」

間抜けな声を漏らした途端、久遠が弾けるように笑った。

何が起きたのかわからないまま、俺は舞い落ちて来る紙吹雪を浴び、その場にへたり込んだ。唖然としていると、光本たちの溜息が聞こえた。

「これでいいですか、久遠さん」

「ああ緊張した……。名演技だったわ、浩一さん」

疑問が次々と湧いてくるが、俺は背後の二人を振り返ることもできない。

「二人とも良かったよ。光本さんのほうは、河原で倒れてるときに息をしているのがこいつにバレたらしいけど」

笑い過ぎて目元に滲んだ涙を拭いながら、久遠が言う。彼は堪えきれないように肩を震わせて、続けた。

「ご協力に感謝する」

俺の横を通り過ぎて、久遠が二人のもとへ向かう。俺は思考の処理が追いつかず、なぜか拳銃を構えてしまい、それを一瞥した久遠がまた、くっと喉を鳴らした。

そんな久遠に、光本と笹木は緩やかな笑顔を向けている。

「こちらこそ、ありがとうございます」

「本当に。貴島が依頼したのがあなたじゃなかったら、あたしたち殺されていました」

拳銃を上げたまま、俺は久遠の背中に呼びかけた。

「く、久遠さん――」

「ああ。あとで説明してやるよ」

「いえ……それもそうですけど」

閉じていく視界に、こちらを振り向いた久遠の顔が焼きついた。ああやっぱり、とてもかっこいい。

「気絶していいですよね?」

久遠の了承を待たずに、俺は目を閉じた。

7

意識が戻ったとき、俺は冷たい床に横たわっていた。

頭をめぐらせると、そこが馬車道の地下室であることがわかった。全身を探り、首が胴体にくっついているか、穴があいていないか探る。首は無事で、体には穴どころか傷ひとつなかった。服は久遠に初めて話しかけた日に着ていたものだ。ただあのときと違うのは、服はきれいに洗濯されており、ポケットには入れた覚えのない千円札が入っていたことだ。

起き上がって、廊下に出てみた。

建物の中は静まり返っていた。すべての部屋が空っぽで、ただ一階の部屋の片隅に、小さなクマのぬいぐるみを見つけた。

ぬいぐるみを拾って、俺は何もない室内を見渡した。

ここで過ごしたのはたった三日間なのに、久遠たちと食卓を囲んだ日が懐かしく思えた。殺されなかっただけマシと喜ぶべきなのかもしれない。そもそも何が起きたのか、まだよくわかっていない。

ただひとつだけ確かなこと。

俺は、久遠に見限られたのだ。

施錠されていない玄関から外へ出た。そこには明るい朝が広がっていた。

アパートへ戻り、なんとなく一日、二日と過ごした。ビクターの店がある浅草へも足を延ばしてもみたが、結局、駅前で回れ右してしまった。

新しい就職先を見つける気にはなれなかった。久しぶりに実家に電話をかけると、母や弟妹がかわるがわる電話口に出た。父さんはどうしたのと尋ねると、一昨日から熱があって、肺炎の兆候がみられたので大事を取って入院しているという。俺は見舞いを口実に、いったん田舎に帰ることにした。

荷物をまとめていると、横浜の建物で拾ったクマのぬいぐるみが目に留まった。すると、自分はもう東京へは戻らないのではないか、という予感が胸を刺した。家具やなんかがあるのだから、このままというわけにはいかないが、東京という地方出身者の夢を吸い取る街から、もうおまえには俺の養分になる夢が残っていないからいらないよと言われている気がしたのだ。

俺の夢。それはまともな世界での成功か、それとも闇の世界で生き抜くことのほうか――東京に求められていたのは、いったいどちらの夢だったのだろう。

シマウマでもライオンでもない、ただの人間の俺の夢は。

足を引きずるように上野駅の雑踏にまぎれこんだとき、誰かと衝突した。あきらかに相手からぶつかってきたが、俺にはケンカをする気力も残っていない。

すみません、と自分から謝ろうとした視線の先に、眩しいほど整った顔があった。

「……久遠さん」

二度と見られないと思っていた冷たい美貌に、思わず感嘆の声が出た。久遠はすべてを見透かしたように微笑み、「よう」と親し気に言った。

「説明してやると言っただろ。列車の時間は大丈夫か?」

切符はこれから買うのだと言うと、久遠は駅の片隅にある柱に寄りかかり、いつものようにタバコを吸いはじめた。すべての仕草が優雅で、俺は何度目になるかわからない胸の高鳴りを覚えた。

久遠は話し出した。

「貴島高志からの依頼が、俺は気に入らなかった。てめえの都合で腹違いの弟を殺す？　やることが汚ねえよ。引っ掻き回してやろうと思ったね」

俺は自分の頬が緩むのを感じた。

なんとなく、久遠らしいと思ったのだ。

「おまえには話さなかったが、久遠には決まり事がある。それを守りながら仕事をするようにと、俺は先代と約束したんだ」

約束について訊きたくなったが、今まで話してくれなかったということは内緒にするつもりだろう。話の腰を折りたくなくて、俺は黙っていることにした。

「だがそれさえ守ればあとは好きにしていいってことだ。だから俺は光本浩一にすべてを話し、光本がそうしたいと言うので笹木みち子にも打ち明けた。二人は町を出ることにすると言ったが、俺はそれだけでは足りないんじゃないかと忠告した。貴島高志はしつこそうだし、日本はこれからどんどん金銭第一主義になっていく。人殺しくらい、平気でやる馬鹿は尽きないだろう。俺が断っても、貴島は他の人殺しを雇う」

輪っかにした煙を吐き出して、久遠は続けた。

「だから二人をいったん死んだことにして、新しい名前を持って生きて行けと提案した。念のために貴島が俺に成功報酬を支払う様子を録音録画する。万が一、生存がバレるようなら、この映像が証拠になるぞと脅すんだ。そう提案した」

「死んだことにする……」

「俺は貴島に、光本を殺そうとしたら笹木も一緒だったから二人とも始末したと話す。そして遺書を捏造して、どこか山奥で心中したように見せかけておくと。このへんはおまえに話した筋書きと一緒だ。そんなときにおまえが現れて、俺はちょっとだけシナリオを変えることにしたんだ。光本と笹木に頼んで、おまえに殺されるふりをしてもらった」

ということは二人があの夜一緒にいたのは、最初から仕組まれていたことだったということか。

俺は頭に浮かんだ確信を、心の痛みと共に口にした。

「俺のことは最初から、弟子にするつもりなんてなかったんですね」

ちょっとだけ涙が出そうになったが、質問を続けることで堪えた。

「あの、石は？　俺、かなり強く殴ったつもりだったんですけど……」

久遠はにやりと笑った。

「あの石には細工がしてあったのさ。おまえに石の握り方まで指導したのは、振りかぶって殴ったときにちゃんとスポンジになっている部分が当たるようにしたかったからだ。スポンジには血のりが含ませてあった。俺がおまえに石を渡したあたりで、妙だとは思わなかったのか？　河原には石がごろごろしてる。なのに殺し屋が凶器に使う石を持ち歩いてるなんて」

俺は顔を覆った。それはそうだ。そしてそんなことにも気づかないところが、俺が殺し屋に向かない所以（ゆえん）なのだろう。

「光本は空砲で撃った。暗かったし、おまえは死体に触る勇気なんてなさそうだったから、光本には死体袋の中で仕込んでおいた偽物の血を適当につけてもらったんだ。他に訊きたいことは？」

「い、今は二人は……？」

恥ずかしさが頂点に達し、俺は早口になった。

「光本と笹木はもう町を出た。二人に見立てた死体は一か月後に埼玉の山奥で見つかる予定だ。貴島はさっさと金を全額支払ったぜ。まだ死体は見つかってないってのにな」

久遠は苦く言うと、氷の息を吐く雪女のように煙を吹いた。

俺には久遠が悔しがっているのがわかった。

貴島は自分がしてやられたことは知らない。光本と笹木は、この先も生きていけるとはいっても、もう元の名前には戻れないのだ。

何も非がないほうが損をしている。悪者が支払ったのは金だけ。

いっそ貴島にからくりを暴露してぎゃふんと言わせてやりたいところだろうが、久遠の言う通り、万全を期すなら光本と笹木を死んだことにするのがいちばんだ。

突然、久遠が言った。

「この世は、理不尽と、悔しさと、涙でできている。でもその隙間に宝石が嵌っている。遠くから見てきらきらと光るのは、幸せという名の宝石だ。久遠はその宝石を磨く」

それは詩の一節のようにも、芝居の台詞のようにも聞こえた。

だが俺は直感で、

「あなたの言葉ですか」

と尋ねた。

久遠の横顔から表情が消えた。

「師匠たちの言葉」

「久遠さんの師匠は……」

「死んだよ、二人とも。殺し屋らしい、いい死に方だった」

口を開いたまま何も言えずにいると、久遠は破顔して、シガレットケースを差し出した。

出会ったときの忠告が思い出されたが、今更気にすることではないだろう。おれが一本いただくと、久遠は火を点けてくれた。

吸うと、ずいぶん甘い。安全な味だと思った。煙と一緒に、俺は打ち明けた。

「……俺がどんな人間なのかを思い知らせてくれて、感謝しています。俺は凡庸でした。それをやっと受け入れることができました。毎日あくせく働いて、いつかおなじくらい平凡な女と結婚して。たくさんの不安や心配、突然襲って来る不幸を受け止めて、たまの幸せを糧に生きて、死ぬ。そういう人生しかないし、きっと俺は、いつか——」

湿っぽくなった喉に煙が張りついた。俺は唐突に理解した。これこそが俺のもっとも恐れていたことだった。

「いつか、そういう人生に満足してしまうんだ……」

呟きが消えると、周囲のざわめきが潮騒のように迫ってきた。その音は俺を嘲笑い、同時に、おめでとうと祝福していた。

俺が吐いたものではない煙が目の前を横切った。見ると、久遠が俺のほうへ顔を傾けていた。

「最初に会ったときから、おまえがそういうやつだって俺にはわかってたよ」

俺の口から乾いた笑いが漏れた。やっぱり。

「俺の仕事は人を見極める仕事だから、どんなに取り繕っていても相手の真実が見える。おまえは親に愛されて育った。デカいことをやることもなく、ありふれた毎日をただ穏やかに生きる。それは俺にはないものだ」

久遠はタバコを足元に落とし、揉み消した。

「……気絶したおまえから宮部の警察手帳を奪い、そのまま街角に転がしておくこともできた。そうしなかったのは決めかねたからだ。俺、おまえのこと本気で弟子にしようかと考えたんだよ」

声を上げようとした俺を遮って、久遠は言葉を繋げた。

「でもそれはおまえを助けたいからじゃない。おまえを手元に置いておけば、おまえが手に入れるたくさんのものを、ちょっとは自分のものにできるかな、なんて思ってね」

「それって――」

呟いたきり、俺の舌は止まった。

今、この人は俺を……羨ましいと、言ったのか。

「でも、そんなことしたって、今更俺の人生が変わるわけじゃないし」

久遠は二本目のタバコを唇に挟んだ。

俺のタバコはもうずいぶん短くなっている。指をヤケドする前に捨てたが、久遠は新しいタバコをすすめてはこなかった。

ずいぶん経ってから、俺はようやく彼に呼びかけた。

「久遠さん——それでも、あなたは俺を救ってくれた人です。あなたがあの場に現れなかったら、俺は自殺してたんですよ」

久遠は横顔で笑った。

「それはおまえの運。俺はおまえのために宮部を殺したわけじゃないんだから」

久遠はタバコを放り、上着の懐から切符を取り出した。俺の故郷行きの切符だった。

「餞別（せんべつ）にやる。だから、そっちは返せ」

なんだろうと思って手元を見た時、俺は自分がクマのぬいぐるみを握っていたことに気づいた。

慌てて渡すと、久遠はぬいぐるみを大事そうに抱えた。

「姫が忘れてきたっていうから」

その様子を見たら、どうしようもなく知りたくなった。

「……俺、逃げようとした夜、実は二階に行ったんです」

久遠は目を眇めた。何を見られたのか察したのだろう。

「あのとき歌っていた歌、あれはなんていう歌ですか」

久遠は明後日の方向を向いた。

「『ホーム・スイート・ホーム』。じゃあな」

そのまま踵を返そうとした彼の腕を、俺は摑んだ。久遠はあきらかに驚き、苛立ちさえ浮かべたが、それでも俺は言った。

「久遠さん。姫を離さないでください」

「は——？　おまえ」

「あの子は、あなたのそばで育つのがいいと思います。雅美さんだって本当はそう願ってます。いつか姫と二人で雅美さんのお墓を訪ねてください」

久遠の目が曇ったので、さらに続けた。これで終わりならどうしても彼に伝えておきたかった。

「その先のことは、大人になった姫が決めることじゃないですか。あなたに一人でいてほしくない。幸せになってください。あなた優しいんだから、その優しさのぶん、幸せになって欲しいんです」

俺は腕を放し、逃げるようにその場を離れた。

数歩行ったところで振り返ると、久遠はまだ柱のところに立っていた。俺たちのあいだを大勢の人が行き交い、それは越えられない川のように見えた。

久遠の唇が動いた。

さよなら、朔。

俺はしばらく迷ってから頭を下げた。腰を折る深い一礼だ。顔を上げたときにはもう、殺し屋の姿は消えていた。

第四話

久しく、遠く——1945年

拝啓

お会いしてお話ししたいとのお申し出だったのに、こうしてお手紙で済ませることをまずはお許しくださいませ。

さて……。

どこから語りましょうか。

あなたにわたしたちのことを話すとなると、実は、やや長い話になるのです。

そうですね、やはり、あそこから。

わたしと彼との出会いから綴(つづ)ることにいたしましょう。

あれは終戦から三か月ほどが経った十一月のことでした。そのときわたしは十一歳。本来なら国民学校の初等科に通っている歳ですが、学校どころか家さえもありませんでした。わたしが母と弟と暮らしていた今戸(いまど)の自宅は三月の空襲で焼け、父は戦地へ行ったまま。最後の便りは一年ほど前、南方へ向かう船に乗るとのことでしたから、子供だった私にも父がもう生きていないことはなんとなくわかりました。

一人になったわたしは、湧き出て来たかのように東京に乱立した闇市を頼りに生きておりました。そういうところには食料が集まりますから、地面を這い回っておれば何かしら口に入るものが見つかったのです。

ある日のことでした。

わたしは渋谷の闇市を、いつものように彷徨（さまよ）い歩いておりました。

代用うどんを売る屋台の匂いにつられて、身を低くしながら客の隙間に潜り込もうとしたときです。

何か鮮やかな色をした物が、わたしの目の前に転がってまいりました。

赤いラベルが張られた金色の缶詰。しかも、英語が書いてあります。進駐軍から流れてきた品物だと、すぐにわかりました。アメリカさんの食べ物はすべて上等でしたから、わたしは嬉々（きき）として缶詰を拾い上げました。

怒鳴り声が轟いたのはそのときです。

「このガキ！」

濁った低い声は隣の進駐軍払下げ品を扱う店から聞こえました。わたしはすぐさま駆け出しました。一聴しただけで危険を感じる声だったのです。その声音が、戦争中空を覆っていたB29戦闘機の爆音を思い出させたのかもしれません。

人混みを走り抜けたものの、すぐ後ろから男が追いかけて来るのはわかっていました。太く確かな足音。対して、わたしは痩せこけた浮浪児です。できる限りの速度で逃げましたが、闇市が途切れる頃、背後から猛烈な一撃を受けて地面に転がりました。握りしめたままだった缶詰が滑り落ち、指先に砂利が食い込みました。その鋭い痛みがなければ、殴打された衝撃で気絶していたかもしれません。

意識を失わなかったとはいえ、わたしは立ち上がることができませんでした。

「人のものを盗みやがって。お前みたいなのはな、さっさと死ねばいいんだよ！」

倒れているわたしの頭の上に、男が吐いたらしい唾が降りかかって来ました。同時に、缶詰を拾ったような音がします。

わたしは身動きしませんでした。さっさと死ねばいい、という言葉が、殴打の痛みや吐きかけられた唾よりもわたしの気力を奪ったのです。

男の足音が少しずつ遠ざかっていきました。

わたしは起き上がる気力もなく、ただ体を仰向けにして空を見上げました。

空は白々しいほどに青く、風は乾き、冷えています。やがて冬が来ればわたしはどのみち死ぬ。それが今であってはいけないはずはないと思いました。

目を閉じようとした、そのときです。

誰かが近づいて来る気配がしました。

瓦礫（がれき）が散らばったままの道を踏みしめる音は、まぎれもない靴底の音。さっきの男の足元は思い出せませんが、あんなに重い音ではない。まったく別の誰かであるのなら、わたしは新たな危険に晒されることになります。

それでも、わたしは動きませんでした。

そのときまでわたしを生にしがみつかせていた何かは、あのとき確実にぽっきりと折れていたのです。

無抵抗を示すために目を閉じました。

すると。

「これ、欲しいんだろ？」

聞いたことのない声が、顔の上から降ってきました。

あのときの感覚を、わたしは今でも忘れることができません。柔らかくて優しい、なのに強靱な――運命というものがあるのならあれがその姿だったと、今でも思い出すのです。

わたしは目を開けました。

一人の少年がわたしを覗き込んでいました。

決して上等ではありませんが、白いシャツにズボン。シラミが棲む隙間もないほど刈り込んだ髪。なにより、あの目。内側に吸い込まれるような深い瞳は、あの頃から彼の変わらなかったところです。

誰？　とわたしは声を出しました。

声は掠れて、わたしを覗き込んでいる少年には聞こえなかったのかもしれません。彼はわたしの鼻先に金色のものを押しつけ、もう一度言いました。

「これ、欲しかったんだろ？」

さっき取られたはずの米軍の缶詰です。

わたしは体を起こしました。さすがに跳ね起きるとはいきませんでしたが、手をついて上半身を起こすと、わたしを覗き込んでいた少年は腰を伸ばして微笑みました。

歳はわたしよりひとつふたつ上、初等科は卒業している年頃でしょう。背が高く、首筋のしなやかな子供でした。さっきは瞳ばかりが印象に残りましたが、改めて見てみると丸い鼻と大きな口が妙に愛嬌のある顔立ちです。

「店主がおまえを追いかけてった隙に、一個かっぱらったんだ」

少年は口を開けて笑いました。その力強い笑顔ひとつで、わたしはこの少年が、住むところにも食べるものにも不自由していないんだと理解しました。

少年は唖然としているわたしの膝頭に缶詰を置きました。

わたしはそれを、黙って見つめたのだと思います。

「それ、どうやって食べるんだ？」

予想外の質問でした。

「缶切りがないと開けられないだろ。アメリカさんの缶詰は頑丈だ。そのへんに落ちてる鉄くずなんかじゃ、開けらんないぜ」

言われてみればその通りです。

わたしは黙るしかありませんでした。自分の体が急激に縮み、吹けば飛ぶ枯れ葉のように萎んでいくような錯覚に陥りました。

口を閉じたまま俯き、わたしは少年をやり過ごそうと思いました。きっとこの少年は、どこかのちゃんとしたお家の子供なのでしょう。そんな恵まれた立場の少年が闇市に一人でいた理由はわかりませんが、無関心を全身で表していれば、そのうちにわたしへの興味をなくしていなくなる。そうして家に帰って親と一緒に過ごして眠り、明日の朝起きた頃には、きっとわたしのことなど忘れているのです。

ところが少年は、膝を折ってわたしの顔を覗き込んできました。

「おまえさ、そのまま死ぬつもりか?」

わたしは、唇を動かしました。

なんと言ったのかは覚えていません。もしかしたら、声は出さなかったのかも。

彼は続けました。

「おまえが死んでも空は青いまんまだし、夜はまた来るし、冬になれば雪が降る。悔しくないか? 何もないまま消えて、なんでもなかったことになるのは」

――なかったことになる。

その一言はわたしの心の深いところに、小石のように放り込まれました。さっきの男が言った、おまえなんか死ね、は大岩のようで、心にどすんとのしかかってはきましたけれど、細くなっている心の穴の途中に引っかかって止まっています。少年の言葉は小さいながらも、これ以上はない底の底まで落ちてきたのでした。

わたしは、少年を見ました。彼もわたしを見ていたので目が合い、わたしは改めて、不思議な瞳だなあと思ったものです。

少年は真顔になって言いました。

「おれと来いよ。言う通りにしていれば、寝るところと食べるものが手に入る。しばらくのあいだは」

「……しばらくのあいだ？」

「そう。ずっとじゃない」

「ずっと、じゃない……」

わたしが唇を歪めると、少年は眉を寄せました。

「なんで笑うんだよ？」

「嘘じゃないんだなあって、思ったから。ずっと暮らさせてやるって言われたら、それは嘘だと思うけど。でももしかしたら、本当のように聞こえる上手な嘘なのかもしれない……」

「へえ。おまえ、賢いじゃないか」

少年がわたしの頭を撫でたので、わたしは急いで身を引きました。三月の空襲で家を失くして以来、一度も風呂に入っていませんでしたから、わたしの髪は脂と埃まみれです。それよりなにより、人の体温が恐ろしかったのです。

少年は気にする様子もなく立ち上がり、自分の胸を指しました。

「おれはケイスケ。土をふたつ重ねて、あとこういう字」

これがわたしと、彼――圭介との出会いでした。


圭介はわたしを連れて、まだ瓦礫に埋もれていた東京の街を歩きました。圭介が与えてくれた缶詰を、お守りのように握りしめていたのを覚えています。

渋谷を離れて表参道を抜けると、ほんの少し建物のかたちを保っている区画が現れます。それでも人の姿はまばらで、残っている建物のほとんどは戸が閉め切られ、人の気配がありませんでした。家や店舗はあっても、生活するには不足というところでしょうか。あるいは疎開先から、なんらかの理由で戻って来られなかったのかもしれませんが、当時のわたしには他人の事情など判別できないのでした。

圭介は、板塀に囲まれた二階建ての家のそばで足を止めました。

「おまえ、名前は？」

わたしは答えました。

「捨てた」

「拾って来いよ」

わたしがゆっくりと頭を振りますと、圭介はしばらく考えていた様子でしたが、やがて切り出しました。

「じゃあ、名無し。今から大切なことを言うぞ。おまえは家に入ったら、なるべくおとなしくしてるんだ。腹が減っていて、食べるものと寝るところ以外考えられない。守ってくれる誰かがいてくれるなら、どんな命令にも従う。気の弱いネズミみたいに振舞うんだ」

「わかった」

「おまえはいい脳みそしてるだろうけど、それを悟られないようにしろ」

「……やってみる」

「ん。あと、おまえ、歳は？」

十一だと答えると、圭介はひとつ少なくサバを読めと命じました。

「わかった。でも、どうして？」

圭介はほんの少し暗い顔をしました。

「少しでも子供なほうが、喜ぶと思うんだ」

誰が喜ぶのかは、訊きませんでした。

わたしは圭介のあとについて裏木戸をくぐり、広い裏庭を横切りました。植木の少ない庭で、黒い土に覆われ、日当たりがいい場所にぽつんと畑があって、さつまいもが葉を繁らせておりました。裏庭に面して家の縁側があり、その向こうには障子が続いています。縁側の右端には勝手口がありました。

圭介はその勝手口から家の中に入りました。

勝手口の奥は台所になっていて、湿った空気に覆われていました。かまどはふたつあって、きれいに掃除されています。台所の土間と上がり框（がまち）の先は障子で区切られていました。

「手を繋ぐんだ」

わたしは差し出された圭介の手をじっと見つめました。

「……どうして」

「そのほうが弱く見えるだろ。おまえさ、いつから一人でいたのか知らないけど、戦争が終わって三か月も経つんだ。そのあいだ生き延びてきたんだから、強いんだよ。強くて頭がいいなら、弱いふりをしたほうが身を守れるときもあるってわかるだろ？」

　それはその通りです。

　わたしはそっと、自分の指を引っかけるようにして圭介の手を握りました。圭介の指は炭のように熱く、そこから何か抗いがたい魅力的なものが流れ込んでくるようで、わたしは振り払って逃げ出したい気持ちをじっと堪えたのでした。

「父さん、母さん、ただいま戻りました」

　障子を開け放ち、圭介が叫びました。

　しかし、廊下に上がろうとはしません。

　わたしはちらと黒々とした廊下を見遣りました。廊下は左側と正面に、壁に区切られて伸びています。正面の廊下の突き当りには表玄関があり、眩しい光が引き戸のガラスから注いでいました。左側の廊下はずっと奥まで続いているようでしたが、覗き込むわけにはいきません。

　どこかで扉が開く音が聞こえ、澄んだ女の人の声が飛んできました。

「圭介さん？　おかえりなさい。あなた、圭介さんが帰ってきましたよ」

　ととと、と軽快に鳴る足音と、ぎしぎしと床板を踏む音が重なって近づいて来ました。

　わたしは急いで顔を伏せました。

やがてふたつの足音が、上がり框の上で止まりました。

「おかえり」男の人の声です。太くて、わたしの父親よりも歳が上に聞こえました。

「その子は？」女の人の声は甲高く、男の人よりは若く聞こえました。

「街で見つけたんだ。一人だし、かわいそうだったので」

大人二人は「まあ」とか「そうか」といった短い言葉を発しましたが、どれもが取ってつけたようでした。

「どうかな。父さんも母さんも忙しいし、ぼくも勉強しなきゃならない。この子にうちの手伝いをさせませんか」

「うん、そうしようか」

男の人が答えた途端、圭介の足がそっとわたしの裸の爪先を蹴りました。

何の合図かわかったわたしは顔を上げて、二人をあまりじろじろと見ないように気をつけながら小さな声で言いました。

「よろしく、お願いします……」

頭を下げたとき、もつれた髪が目元まで落ちてきました。上がり框に乗っていた大人二人の足が後ずさるのが、視界の端に見えました。

「この子、名前は？」

「わからないんだって。ずっと一人でいて、忘れちゃったみたい」

「そうなの。かわいそうに」

言い方にだけはたっぷりと同情が込められていましたが、女の人はわたしの頭を撫でようとはしませんでした。

「圭介。その子を洗ってやりなさい」

「はい。父さん」圭介はわたしの肘を小突きました。「それ、こっちに渡せ」

それ、とは、わたしが片手で摑んでいる缶詰のことのようです。

わたしは素直に応じようとしましたが、わたしを見つめる圭介の目が何かを語っている気がしたので、頑なに缶詰を握りしめておりました。

「いいから」

圭介は乱暴に缶詰をむしり取りました。わたしは抵抗こそしませんでしたか、唇を震わせて俯きました。

大人たちが、それぞれ笑い声と明るい唸り声を漏らしました。

圭介が缶詰を大人たちのうちのどちらかに渡しても、わたしはじっと顔を伏せたままでいました。

やがて二人が家の奥に引っ込むと、わたしは圭介に連れられて裏庭に戻りました。

圭介は家の端にくっついている物置小屋から、木製のたらいと、あちこちがへこんだ鍋を持って来て、おなじく裏庭にある井戸から水を汲み上げ始めました。

「手伝うよ」

わたしが言うと、圭介は囁きで返しました。

「いい。そのへんに蹲ってな」

察するものがあったわたしは言われた通りにしました。

わたしが黒い地面に腰を下ろして膝を抱えた頃、背後の縁側に気配が差したのを覚えています。わたしは振り向きませんでしたし、圭介も水汲みに夢中になっているふりを続けていましたが、おそらくは縁側沿いの障子を開けて、さきほどの大人のどちらかが覗いていたのでしょう。

圭介が庭に落ちている石を集めて小さなかまどをこさえた頃には、その気配は遠ざかっていました。

「話していいよ。あんまり大きな声じゃなければ」

圭介は石のかまどの真ん中で火を起こし、鍋に入れた水を沸かし始めました。

「……あの人たちは、君のお父さんとお母さん？」

「うん。でもおれは実の子じゃない。おれは母さんの妹の子供で、戦争が終わる前に引き取られてきたんだ」

「あの人たちは何してるの？」

「医者、みたいなこと」

みたいなこととは引っかかる言い方でしたが、追求してはいけないとわたしにはわかりました。

「ぼくはここで何をすればいい？」

「弱いふりをしながら、言われたことをしてればいい。あんまり外には出るな」

「わかった」

「もし、逃げたくなったら逃げていい。でもそうしたら、二度とこの辺には現れるんじゃないよ」

わたしはいっそう声を落として尋ねました。

「逃げたくなるような何かが、この家にはあるってことだね」

圭介ははっとなって振り向きました。驚きのせいだったのか、その目の引力はより強くなっています。わたしはしばし彼に見惚れたのですが、圭介には問いかけているような視線に見えたのかもしれません。

「おまえ――」言いかけて、言葉を呑み込みました。「そこのたらいに、服脱いで入れよ。体を洗ったら、髪も刈るからな」

沸かした熱湯と汲みたての井戸水を混ぜて作った風呂に浸かったわたしは、天国を見たような気持ちになりました。温かい湯に浸かるなど久しぶりです。体の垢を擦り、泥を落とすたびに、人間の暮らしというものをまざまざと思い出しました。

ふたたび背後で物音がしましたが、圭介は遠慮なく振り返り、やって来た人と言葉を交わしました。どうやら先ほどの女の人、圭介が「母さん」と呼ぶ女性が、新しい服や髪を刈るためのバリカンを持って来てくれたようです。わたしはたらいの中でじっとしていました。

圭介はわたしに、たらいの縁から頭を出すように言い、わたしが従うと髪を刈り始めました。もつれた髪が地面に落ちていく様は、文字通り古い時間との決別のようでした。

身ぎれいになると、圭介はわたしを家の中に連れて行き、改めて両親に引き会わせました。そこで初めてわたしは、初めて二人の顔を見ました。男の人は背は高いですが痩せていて、すっかり禿げ上がった頭がお坊さんのようです。女の人は反対に豊かな髪をしており、目や鼻が細く、にこにことしているわりには、子供でもわかるほど感情が薄い笑顔でした。

二人は単に「父さん」「母さん」と呼ばれ、苗字も名前も教えてもらえませんでした。

すぐに夕食の時間になりました。連れて行かれた六畳間は、裏庭の縁側沿いの部屋で、こぎれいに片付いています。

卓にはかぼちゃの煮物、白米と麦を合わせて炊いた飯、それに味噌汁と沢庵がついていました。わたしが持ってきた缶詰の中身らしき食べ物は見当たりません。

「がっついて食べていいよ。途中でおれが変なことするけど、気にするな」

圭介が素早く囁きました。

やがて食事が始まり、わたしは念願の食べ物に夢中になりました。温かいものを口にしたのがどのくらい前か、思い出すこともできません。飯を噛みしめていると、そのあいだにも父さんと母さんが尋ねて来ます。

どこにいたのか、家族はいるのか、歳はいくつか、など。

わたしは咀嚼（そしゃく）を止めて答えましたが、圭介の言いつけを忘れてもいません。わからない、とか、死んだ、とか、できるだけ短く答えました。年齢についてはもちろん圭介の指示に従いました。

わたしはそこで、この家にいるあいだだけ呼ばれることになった名前を与えられましたが、その名前には触れたくありません。

食事の途中、圭介が予告通りに奇妙なことをしました。

わたしのかぼちゃの皿と、空になった自分の皿を素早く入れ替えたのです。

大人二人の目が確実に逸れているあいだのできごとでした。最初は、わたしが来たことで彼の取り分が減ったのでそういうことをするのかと思いましたが、圭介はすぐに自分のぶんの飯をわたしの茶碗に入れました。かぼちゃが特別に好きだということかもしれませんが、いささか不可解でした。

　食事が終わり、台所の薪の補充をする圭介を手伝っていたときのことです。

　裏庭の木戸が開く音が聞こえました。

　わたしが勝手口を見ると、圭介が訊いてきました。

「どうした？」

「誰か来たみたい」

　木戸が閉まる音に続いて、土を踏む足音が近づいてきます。その足取りは慎重で、震えているようでした。

「そうか？　おれには何も……」言いかけた圭介は、すぐに表情を変えました。「ほんとだ。おまえ、耳がいいな」

　そう言うとわたしを押しのけて勝手口を開けます。わたしは圭介の肩越しに裏庭を見ました。夜の中、月明かりだけを受けて、ワンピース姿の若い女の人が腕で自分の体を抱きながら歩いて来ます。着ているワンピースは鮮やかな色をしていたのですが、それが何か発光しているようで、わたしには心底恐ろしく見えました。

　女の人は勝手口から漏れる明かりを踏んで、ようやくわたしたちに気づいた様子でした。

　すっとこちらを見た目に驚きが走ります。

「あ……。あなたたち、ここの子供？」

なんとか笑おうとしたのかもしれません。

唇が曲がって見えました。

圭介が、わたしを隠すように体の位置を変えました。

「そうだよ。父さんたちなら、奥にいるよ」

女の人は無言で頷き、圭介はわたしを背中で押して台所の隅に追い込みました。

女の人は一歩一歩を踏みしめるようにしながら勝手口をくぐり、台所の土間を抜けて這うように廊下に上がります。圭介はそのあいだ身動きしませんでしたので、わたしは圭介の体越しに様子を窺っておりました。

女の人が廊下を進んだとき、奥から母さんが現れました。わたしは母さんが悲鳴を上げるか大声を出すだろうと身構えたのですが、そんなことはなく、一瞬びっくりした顔にはなりましたが、すぐに女の人に手を貸して廊下の奥へ向かいました。

「あなた、来て」

母さんが呼ぶと、どこかの扉が開閉する音に吸い込まれていきました。

圭介が前へ出て、わたしはほっと息を吐きました。

「今の人は……」

「黙れ」

圭介に鋭く命じられて、わたしは口を閉じました。

しかし心の中では、はっきりと問いかけておりました。

――あの女の人、お腹が大きかったよね、と。


その夜は父さんと母さんに挨拶もしないまま、二階の四畳半で寝（やす）みました。

圭介の部屋であることは、部屋の様子からわかります。座卓には難しそうな本が置かれ、ぼろぼろの少年雑誌も少しですが重ねられていました。圭介と並んで横になると、圭介が電気を消しました。そうすると入れ替わるように、曇りガラスの窓からふんわりした月光が流れ込み、部屋を照らしました。

今思うとずいぶん薄く、あちこち継ぎはぎがされていましたが、わたしは裏庭でたらいの風呂に入ったときと同様に、布団のありがたさを全身でむさぼりました。

「……話をしてもいい？」

わたしが訊くと、圭介は「いいよ」と答えました。

「ぼくはここで何をすればいいの」

「今日とおなじことをすればいい。おとなしくて弱くて、絶対に逆らわない。そうすれば少しのあいだは食べるものと寝るところが手に入る」

「答えられなかったらそう言って。それは、いつまで？」

「はっきりとは言えない。でも冬は越せると思う。そうなればきっと、おまえみたいな親がない子供でも生きていける世の中になってる。そうじゃなくても、おまえは今よりは大きくなってるだろうから、死ぬことはないかもしれない。肝心なのはそこだろ」

わたしは圭介の言葉を思い出しました。

死ねば、何もなかったことになる。

あれはなんて恐ろしい言葉なのでしょう。

「……あそこで、あの闇市で、君は子供を探してたの？　拾って帰れる子供を」

しばらく返事はありませんでした。

わたしは、隣に寝ている圭介を見ました。

圭介は目を開いたまま真上を見据えています。瞳は暗闇の中でも黒く輝いていました。

「うん」

「父さんと母さんに言われて？」

「うん」

「それがどうしてぼくだったの」

「……それは、たぶん」

「たぶん？」

「運、ていうやつなんだろうな」

運。

わたしは頭の中で繰り返しました。その言葉には、何かが足りない気がしたのです。

「もう寝ろよ。早起きして、水を汲んどかなきゃいけないんだ」

答える代わりに、わたしは寝返りを打って目を閉じました。

いろいろな思いが胸を駆け巡っていましたし、もっとも訊きたい質問は喉に押し込んだままでした。

あの女の人はなぜここへ来たのか。父さんと母さんは何をしている人なのか。そもそもどうしてこの家では子供を欲しがったのか。欲しがるだけならまだしも、闇市で食べ物を探しているような子供に声を掛けたのは、なぜなのか。

けれどどの質問も、柔らかな布団の抱擁力には勝てませんでした。わたしはいつしか眠り、ふたたび目が覚めたのは、真夜中になってからのことだったと思います。

意識が戻った理由はすぐにわかりました。

隣の布団から圭介が這い出したのです。衣擦れの音と畳を踏む足音とでそれがわかりました。外で寝起きしていたせいでしょう。近くで動くものの気配には敏感だったのです。

最初は手洗いに行くのかと思いました。

しかし、それにしては圭介の動きが慎重なのです。まるで私を起こすまいとしているような。それがわかったわたしは、布団の中でじっとしていました。圭介に背中を向ける姿勢でいたので、目を開けていても気づかれません。

すっ、と襖（ふすま）が開く音。

廊下の板を踏む足音がいちどだけ大きく響き、止まりました。圭介がわたしの様子を窺っている気配がしましたので、わたしはちょっとだけ肩をもぞもぞさせて、眠ったふりをしておりました。

すると圭介は、さっきよりもさらに注意深い足取りで廊下へ出て、襖を閉めました。耳をすましていますと、階段を降りて行く足音が聞こえます。その先からは、ぼそぼそと喋る声が漂ってきました。言葉を聞き取ることはできませんでしたが、父さんと母さんの声です。

わたしは起き出して、襖に耳を近づけました。

話し声はもう聞こえません。でも、三人分の足音が一階の廊下を進んで行くのがわかります。それから、障子を開ける音――また、くぐもった話し声……。

わたしは音を立てないように襖を開けました。

廊下は静まり返っています。時が止まったような、夜を詰め込んだような暗闇でした。しかし目が慣れて来ると、暗がりの向こうに下へ続く階段があるのが見え、そこからかすかに風が吹いて来るのがわかりました。一階のどこかの窓か戸口が、外に向かって開かれているのです。わたしは引き寄せられるように、その風に向かって歩き始めました。

辺りは真っ黒にはなりきらず、少しだけ壁や廊下が透けて見えます。漂っている月の光が、夜を溶かして斑模様を作っているかのようでした。わたしは足音を忍ばせて、あるはずもない夜の質量を踏むような気持ちで階段を降りて行きました。

一階の廊下は、二階の廊下や階段よりも明るく見えました。

障子がわずかに開いて、そこから白い月明かりが差し込んでいたからです。わたしが感じた風は、その障子の隙間から流れてくるのでした。

わたしは四つん這いになり、できるだけ影の中に隠れながら廊下を進みました。途中まで行きますと、物音が聞こえてきました。それに、複数の人間の声も。けれど何を言っているのかまではわかりません。

床を切る刃物のような月明かりのもとまで来たとき、わたしは進むのをやめて障子の隙間を覗きました。

その向こうは夕食を取った六畳間です。六畳間を挟んだ向かいにも障子があり、廊下側の障子とおなじくらいの隙間が開いていました。隙間の先は裏庭に突き出した縁側。その裏庭で、何かが動いていました。

人、のようでしたが――判別できません。

わたしはできるだけ身を低くして、素早く障子の前を通り過ぎました。

そのまま台所へ向かいます。

勝手口の扉は閉まっていましたが、薪運びを手伝ったときの感触で、音を立てずに扉を開けることができるのはわかっていました。

慎重に閂を外し、そっと押しました。

扉はきしむことなく、わたしが外を覗けるくらいの幅に開きます。

わたしは敷居にこめかみを押しつけるように身を伏せて、そっと裏庭を窺いました。

そのときに見たものを、ここに書くか否か。

考えるためにわたしは、いったん便箋の前を離れて、タバコを一本吹かしてまいりました。

書くことにいたします。

勝手口から見た裏庭、そこには、父さんと母さん、そして圭介がおりました。

三人とも、板塀が落とす影の深いところに隠れていてはっきりとは見えません。特に圭介は、いきなり背が低くなったように見えました。圭介ではない別の子供だろうか、と思いましたが、彼が両手で動かしているものを見て、地面に穴を掘っているのだとわかりました。掘った穴に降りているので、急に縮んだように見えたのです。その傍らでは、何かを抱えた母さん。父さんは板塀に寄りかかって腕組みをし、事の進行を見守っているふうでした。

話し声が聞こえました。

「このくらいでいいでしょう。これ以上だと、掘り出すときが面倒ですから」

わたしの背中が勝手に緊張しました。圭介の声が、何かを押し殺しているように張り詰めていたからです。父さんや母さんと話すときの圭介が、わたしに喋りかけるときよりも丁寧であることには気づいていましたが、そのときの言い方は尊敬のためなどではなく、自分の内側で暴れているものを鎮めようとしているような感じでした。

「うん。もうそのくらいでいい」

「じゃあ、圭介さん。これ」

父さんの承諾に続いて、母さんが圭介に何かを渡します。わたしは目を凝らして、母さんの手から圭介の腕へ下ろされたものを見ようとしました。

布の塊のようなものです。

圭介が両腕に抱えると、ちょうど良い大きさの。何だろうと思ったそのとき、圭介が塊を抱くために体の向きを変え、板塀の影から月明かりの下に一部がはみ出しました。

わたしは咄嗟に自分の口を手で覆いました。

悲鳴が喉に引っかかる痛みを、今でも思い出すことができます。

布の塊の縁から小さなものが垂れておりました。長く伸ばした餅のようにふっくらとして、途中にくびれがあって、くびれの先にはもみじ饅頭(まんじゅう)のような手がついていました。

布の中身は人間の赤ん坊だったのです。

「だいぶ重いね」圭介の声が重く響きました。

「あと少しで生まれるところだったからなあ」

「生きてと望まれてもいないのに、よく肥ってること」

父さんと母さんの声は、わたしが昼間に聞いていた調子と変わりありません。わたしの腹が、悲鳴ではなく、吐き気によって波打ちました。

わたしは体を引っ込めました。

三人はまだ何かを喋っていましたが、聞くのが怖くて耳を塞ぎ、内側で膨らんでいく猛烈な感情と戦いました。驚きと怒りと悲しみが混ざり合った怪物のような感情でしたから、わたしはもう声を出さないようにするので精一杯だったのです。

そのまま震え続け、波が引くように感情がうしろ向きになると、わたしはひといきに二階の部屋まで逃げました。

　布団を被り、いっそそのまま眠ってしまおうとしましたが、目を閉じることさえできません。

　しばらくして、襖が開きました。

　わたしは横向きになって息を詰めました。寝息を立てたほうが誤魔化せるとわかっているのに、意識するとどうしてもできません。

　圭介は出て行ったときのように静かに布団に戻り、横になりました。

　その直後です。

「起きてるんだろ?」

　わたしの心臓が跳ね、喉から掠れた音が漏れました。

　圭介は浅く笑ったようでした。

「勝手口、開いたまんまだった。父さんと母さんは六畳間を横切って部屋に戻ったから気づかれてないよ。おれはシャベルを片付けて井戸で手を洗ったときに、見えたんだ。ちゃんと閉めて閂もかけておいたから大丈夫だよ」

　わたしは布団の中で息を吐きました。

　ほんの少し、頭を掛布団から出しましたが、圭介のほうを見る勇気はありません。ただ枕に頭を押しつけて、すぐそばの壁を見つめておりました。

「言いたいこととか、訊きたいことはあるか?」

わたしは考えました。

いくつかの言葉が頭を過ったような気がいたしますが、もう覚えていません。記憶に残っているのは実際に口にした質問だけです。

「……あの赤ちゃんは、産まれたときは生きてたの?」

のしかかるような静けさが続き、だいぶ経ってから、圭介は答えてくれました。

「少しのあいだは」

わたしは目を瞑りました。

勝手口から目撃したとき、わたしの内側に生まれた感情の怪物は、暴れることなく薄目を開けてこちらを見たくらいの反応しかいたしません。

「逃げたいか?」

「……わからない。ぼくもああいうことをしなくちゃいけないの?」

「なんとも言えない。たぶん、させないと思うけど。とにかくおまえは、寒い時期を生き延びることだけ考えてればいいよ」

「……そのためには、どうすればいい?」

そうだなあ、と圭介は溜息をつきました。

「何も知らないふりをしながら、ただ食べる物と寝ることがあることに感謝して、父さんと母さんに懐いてるふりをしろ。でも、やりすぎるなよ。あの二人、あれで案外、聡（さと）いところがある」

「わかった」

わたしは後頭部に圭介の視線を感じました。いちばん言うべきことを言っていないような、飛び出そうとする質問を自分の舌で捕まえているような、そんな沈黙でした。

「逃げないよ」わたしは壁を向いたまま少し乱暴に言いました。「どこに行っても地獄だもん。だったら少しでもマシなところにいたい」

圭介は何か答えました。しかしどんな返事だったのか、不思議なことにまったく覚えていないのです。


ここからインクの色が変わったのを不思議に思われるかもしれませんね。

実は手が疲れたので休んでいるあいだに、さっきまで使っていたボールペンを借りられてしまいました。借りて行った者のことはまたあとで書くとして、ここからは使い慣れた万年筆に持ち替えました。

さて。

それからです。わたしは見てしまった光景と、それによって生まれた感情の怪物とを、心の奥底に封じ込めて日々を過ごしました。父さんと母さんは、ばたばたと働くわたしを自分の境遇に疑いを持っていない無垢な子供と信じていたようで、特に詮索はしてきませんでした。一方圭介は、家の手伝いがひと段落着くと、一階の六畳間の隣にある書斎にこもって勉強をしておりました。表玄関の隣には診察室がありましたが、わたしはそこへ入ることは禁じられておりました。危ないものがたくさんあるから、というのがその理由です。

生活しながらぽつぽつと聞こえてきたところによりますと、圭介が通っていた中学校は戦災で燃えたものの、春にはべつの土地に再建され、再開するとのことでした。ただ学校制度自体が大きく変わるという話もあって、父さんと母さんは慎重に学校選びをしているようです。どうやら二人とも、圭介を医者にしたいと思っているようでした。わたしには、圭介が繰り返す「春までは」という言葉と、父さんと母さんの口から漏れる「春からは」の言葉のあいだには、深い繋がりが感じられました。

そうしているうちに季節は通り過ぎて、冬がやってきました。

わたしは薄いけれども温かい布団にくるまりながら、改めて住むところがある幸福を噛みしめたものです。何度か、最初の夜と似たような光景も目撃しました。埋められるのは赤ん坊であることが多かったようですが、裏の木戸を開けて誰かが入って来るのはあの一度きりでした。

しかし、それ以外の訪問者はありました。

どう見ても堅気ではない風情のやくざ者が、血まみれの男を担いで現れたり、女の人が男性と二人で来て診察室に消え、ずいぶん長い時間が経ってから泣きながら出てきたり。連れて来られる人はそのつど違いましたが、同行するやくざ者はいつもおなじ人物です。

父さんと母さんは、わたしがそうしたできごとに気づいていながら何も言わないでいることに、薄々勘づいているようでした。圭介が呼ばれ、わたしの様子を報告させられているようでもありましたが、わたしはとにかく息をひそめておとなしくしていようと決めていたのです。

十二月を迎えた頃のことです。

ある朝、井戸水を汲んでいると目の下に隈を作った母さんがやって来て、こう言いました。

「このあと、圭介さんとお使いに行ってもらいますからね」

わたしは「はい」と答えましたが、母さんの声がいつになく冷たいことには気づいておりました。

その日は朝食は出ず、不機嫌な父さんと圭介が何かを話しているあいだ、わたしはじっと二階の部屋で待ちました。

「おいで」

　圭介が呼びに来て、一階へ降ります。連れて行かれるままに玄関から出ると、門の前に大八車が停まっておりました。上には柳行李（やなぎごうり）や古びたたんすが積まれています。そばには父さんがいて、大八車の荷台に荷物を縄で固定しておりました。

「じゃあ、あいつによろしくな」

　父さんはわたしではなく圭介に言いました。圭介が深刻な顔をしていることに、わたしは気づきました。わたしは、おそらく圭介が望んでいるだろうと、頭を伏せて従順な様子を見せました。

　そうしながら、目だけを上げると。

　父さんが圭介に何かを渡しているのが見えました。黒いピストルでした。わたしはあやうく声を上げそうになりましたが、頬の内側を噛んで堪え、大八車の縁を触ってやり過ごしました。

「行くぞ。おまえはうしろから押すんだ」

　圭介に促されて出発します。

　父さんが見送っているのがわかりましたが、わたしは振り返りませんでした。

　圭介も何も言いません。

　早朝の町は静かで、時折擦れ違う人も、がらくたを載せた大八車に注目することもありませんでした。

　がたがたと荷台が揺れると、縄で固定してある荷物が少しずつずれていきます。わたしは片手を伸ばしてたんすを押し、元の位置に戻しました。そのとき荷物の真ん中に、まるめた毛布があるのが見えました。何だろうと思って、春巻きみたいなかたちの盛り上がりの中を覗きました。

　人間の足が、毛布の隙間に見えました。

　わたしは思わず大八車から手を放し、圭介が足を止めて振り返りました。

　圭介の目は相変わらず深い引力を持っていましたが、このときばかりは見つめることはせず、わたしはすぐに大八車に両手を戻しました。父さんが渡していたピストルを思い出したのです。

　大八車は動き出し、わたしも圭介も無言のまま、寒い冬の朝を進んで行きました。

　陽が昇りきった頃、圭介は足を止めました。

　具体的な場所はわかりません。でもそこは、多くの建物が焼け残っている区画でした。とはいえ空襲に晒されなかったのではなく、建物のほとんどがコンクリート製だったから残ったといった感じです。

　目の前には、小型の学校のような、洋風の二階建ての家がありました。

　圭介は大八車を門の前につけて、わたしに言いました。

「逃げたければ行っていい」

「……どうして」

圭介はシャツの下に隠したピストルの柄をちらりと覗かせました。

わたしはじっと佇(たたず)んでいました。怖くなかったわけではありませんが、これから何が起こるのか見届けたかったのです。

圭介はわたしが動かないのを見ると、ピストルをシャツで隠し、玄関ポーチを登って行きました。

呼び鈴を鳴らします。すると、すぐに扉が開きました。

現れたのは小柄な男の人でした。父さんより少しだけ若く、優しそうな顔立ちをしていて、さっぱりした洋服を着ています。くゆらしているタバコからは、不思議な甘い香りがいたしました。

「やあ、圭介君」

男の人は和やかに言い、大八車を見てから、わたしに視線を移しました。

優しい目が、かすかに色を変えました。

「その子は？」

「拾ったんだ」

圭介の答えを聞いて、男の人の目はさらに深い表情を帯びました。憂いというものだったと、今のわたしにはわかります。

「父さんと母さんが、今日はこいつを連れて行けって」

「……そう」

男の人はゆっくりと瞬きをして、目を覆っていた水っぽい感情を隠し、続けました。

「大八車は裏へ回して、そこで荷物を受け取ろう」

圭介と一緒に家の裏手へ回ると、そこには木戸があって、内側からさっきの男の人が開けてくれました。

庭は高い塀に囲まれており、中は広場のようにぽっかりと空いています。圭介の家の裏庭と違い、野菜も植木もありません。土は固く踏みしめられていて、わたしはなんとなく、ここには誰も埋められていないように思いました。

洋館の裏手には、観音開きの大きな扉がついていて、開いていました。

「おれはビクター。ビクター・フランケンシュタイン」

男の人はわたしに右手を差し出してきました。

握手を求められているとわからず、わたしがきょとんと見つめていると、ビクターはそっとわたしの手を握りました。

わたしは驚いて手を引っ込めてしまいました。

怒られるかと思ったのですが、ビクターは微笑んで会釈をしました。

「すまない。驚かせたね」

大人が謝ってくれたことに打ちのめされ、わたしは急いで頭を振りました。

それにしても、この人は外国人なのだろうか。もしかしたらアメリカから来た二世で、だから名前が西洋風なのだろうかと、わたしはビクターを見つめました。

するとビクターは腰を屈めて、

「イギリスの小説に出て来る、主人公の名前なんだ」

と教えてくれました。

首を傾げながらも、わたしはビクターの吐息に混じる煙の匂いに心を奪われていました。遠い昔、一度か二度口にしたことがあるチョコレート。あの夢の菓子の香りがしたのです。

ビクターは「吸ってみるかい?」と言ってわたしに唇から離したタバコを渡そうとしましたが、わたしは遠慮しました。

そのとき圭介に呼ばれたので、わたしは圭介と一緒に荷物をほどきにかかりました。縄を外し、たんすや柳行李を地面に置きます。圭介は荷台に乗り、わたしに命じました。

「俺は頭を持つ。おまえは足を」

素直に頷いたわたしの耳に、ビクターの溜息が聞こえました。悲しんでいるような音でした。

　ビクターの案内で地下室に入って、わたしは驚きました。

　そこは冷たいコンクリートの壁に囲まれていて、銀色の台が三つあり、いくつもの金属製のたらいに入れられた大きな氷が、天井から吊るされた明かりに輝いていました。台はすべて空っぽで、わたしと圭介はビクターに手伝ってもらい、毛布にくるんだ死体を載せました。

　いつの間にかタバコを吸うのをやめたビクターが、わたしを窺うように見つめました。

「大丈夫だよ。こいつには、知られても」

　圭介が言い、ビクターは頷きましたが、説明したのは圭介のほうでした。

「ビクターは死体を欲しがる連中に売ってる。死体仲買人だ」

　ビクターは苦笑しました。

「なんかもうちょっとこう、いい名前が欲しいなあ」

　それからわたしたちは、ビクターが用意しておいてくれたリュックと、いったん下ろした荷物を積み直して帰りました。最後まで、台に載せた死体の毛布は開かれませんでしたが、わたしはそれをビクターなりの配慮だと思ったものです。

　帰宅して、父さんと母さんにリュックを渡すと、二人はすぐにリュックの口を開けました。中には食料がぎっしり詰まっていました。死んだ人間の体が食料と引き換えにできる世界は、今と比べたら、ずいぶん濁っていたと思います。

　父さんが圭介に渡したピストルは、帰宅するのと同時に返却されました。圭介がなぜそんなものを持たされていたとかというと、どうやら、わたしを撃つためだったようです。家族の仕事についてはっきりと思い知らされてもわたしが逃げないかを試していたのです。ビクターのところへ行ったとき、少しでもおかしなそぶりを見せたら撃て。そう命令されていたと聞いたのは、その日の夜、寝室で圭介と二人きりになったときでした。

「……ありがとう」

　暗い天井を見上げながら言いましたが、圭介は答えませんでした。

　わたしは、圭介がわたしに銃を向けるつもりはなかったことを理解していました。仮にわたしを逃がしたら、彼だってどうなるかわからないのに。

　そうまでしてわたしを守ってくれる理由は何なのか。そのときのわたしには、想像さえできませんでした。

　けれども温かい布団で寝(やす)める事実が、すべての悪いことからわたしの目を背けさせていました。圭介が言った「死ねば何もなかったことになる」という言葉が、そのときには体の奥深くに喰い込んでいたのです。わたしは死ぬのが怖くなっていました。

――そうそう。

圭介が時折、食卓でわたしの皿からつまみ食いしましたが、わたしは特に理由は訊かずにおりました。それこそどうでもいいことだと思っていたのです。どうでもいいことほど重要な意味を持っていると、今のあなたにならおわかりいただけるかもしれませんね。

そして、正月が明けた頃。

いよいよ家の中に、決定的な異変が起こるのです。


いつものようにわたしが水汲みをしておりますと、勝手口が開いて母さんが顔を覗かせました。母さんはいつも笑っておりましたが、その弓曲がりに吊り上がった唇に、わたしは終ぞ慣れることができませんでした。

「ちょっとおいで」

呼ばれるままについて行くと、六畳間に父さんと圭介が並んで正座しておりました。父さんはほんのりと微笑み、圭介はじっと顔を伏せております。

二人の正面には、見慣れない女性が座っておりました。海老茶色のスカートに白いシャツを着た娘さんで、腿の上で固く両手を重ねて、わたしが母さんと一緒に部屋に入るとはっとなって顔を上げましたが、微笑むでもなく目を逸らしてしまいました。ずいぶん久しぶりの、他人に遠慮される経験でした。この人はわたしを怖がっている、この家の人間の一人として、自分より高いところに置いている――そんなことが一瞬の眼差しで理解できて、こっちがどぎまぎいたしました。

わたしは父さんと圭介のうしろに座り、母さんは、若い女性の隣に腰をおろしました。

そして目尻に深い皺を刻みながら隣の女性を紹介します。

「この娘はサナダユミコさん。今日からうちの仕事を手伝いますからね」

わたしは息を呑みました。仕事と聞けば、むろん、さんざん見てきた暗い光景が蘇ります。

サナダユミコさんという名前であるらしい娘さんは、歳の頃十三、十四くらいでしょう。細い体や小さな顔のせいもあったでしょうが、まだ子供のようなお嬢さんにあんな仕事をさせるのかと驚きました。

「わたしも最近体がつらいから、事務仕事やら父さんの手伝いくらいはできるでしょう。いずれうちから看護学校に通ってもらいます。将来は圭介が医院を開くでしょうから、そのときまでにちゃんと勉強してもらわないと」

母さんの口からすらすらと滑り出た言葉は、いかにも用意しておいた台詞という風情でした。

同時に、ああそうか、と閃くものもありました。

父さんと母さんはサナダユミコさんを圭介の未来のお嫁さんにしたいと考えているんだ、と。

「サナダユミコです」ユミコは畳に両手をついて、深く頭を下げました。「お世話になります。よろしくお願いします」

少し訛りがある、きれいな挨拶でした。


そうしてこの家に吹き込んだ新しい風は、わたしがここに来たときよりも強いものでした。

その証拠に、家の者全員の顔つきが変わったのです。

母さんは笑顔にひそむ鋭さが増したくらいでしたが、父さんはじっと考え込んだり、出かけることが多くなりました。例の唐突なお客さんについては、これが不思議なことに減ったのです。怪我をして訪れるやくざ者は相変わらずおりましたが、泣き顔で帰る女性はいなくなりました。そして圭介が夜中に布団を抜け出す回数も減り、そのぶん、部屋に勉強道具を持ち込んで遅くまで机に向かうようになりました。わたしは時折、圭介が眺めている人体図鑑や医学書を読ませてもらいました。漢字ばかりでしたが、写真や図は興味深く鑑賞いたしました。

そしてこの圭介が、ユミコという突風にいちばん大きな反応を見せておりました。

ユミコは『由美子』と書きました。

由美子は、日中は事務仕事を母さんから教わったり炊事の手伝いをして過ごします。

何日か過ぎても、彼女はなかなか家の空気に慣れませんでした。

母さんや父さんには緊張した面持ちで接し、圭介にいたっては、歳が近い少年だからというのも大きかったのでしょうが、目を合わせることもできない有様。

そういう意味では、わたしがもっとも話しかけやすかったのではないでしょうか。

わたしがこの家に厄介になっているということや、彼女よりも小さな子供であるというのもあって、自分の仕事の手があいたときなどにわたしに声をかけることが多くありました。

彼女には、ちょっと迂闊なところがありました。

「君はこの家の親戚の子？　学校へは行かないの？　ときどき圭介さんがあなたのおかずを取るでしょう。お腹がすくでしょうから、あたしのぶんを少しあげましょうか？」

何の悪気もなくそういった質問を放ってくる由美子を適当にあしらいながら、わたしも由美子の境遇を読み取っていきました。

由美子は戦地へ行っていた父が亡くなり、母が歳の離れた子連れの男と再婚することになったのを機に東京へ出て来たという話でした。この家の母さんと出会ったのは、上野で職業あっせん所を探していたときだったといいます。

「あたし、すごく幸運だったと思うわ。田舎のみんなも、仕事が見つかるかわからないよと言っていたの。でもこうして働けて、看護婦にだってなれるかもしれないもんね」

由美子の言葉と笑顔はわたしの心にささくれを作りました。彼女はわたしに話しかけることで、自分の幸福を確かめている。それがわかったからです。

わたしはそういう種類の人間が苦手でした。

そして、そんなわたしの思いに共鳴するかのように、圭介が由美子に意地悪を始めたのです。

始めは思い過ごしかもしれないと考えていました。

さっきも言ったように少年と少女ですから、互いに意識し合うところもあったでしょう。

由美子が来てから確かに圭介は落ち着かない様子でしたが、それが普通の意味ではないとわかったのは、わたしが圭介の由美子への意地悪を初めて目撃したときのことでした。

由美子が寝起きするようになって数日後のことです。

由美子には、家事の中でも大変なものが割り当てられました。

洗濯もそのひとつです。

洗濯用の石鹸なんてものはたいそうな貴重品でしたが、あの家には英語の包装紙にくるまれた石鹸がありました。出所についてはお察しください。固くて大きな石鹸を使って、水を張ったたらいに、波打ち際の模様みたいなデコボコがついた洗濯板を突っ込んで、そこで布を擦るのが当時の洗濯のやりかたでしたね。

それが終わると手で絞り、二階の物干し台へ渡した竹竿に干すのです。

ある日のことでした。

晴れてはいましたけど、太陽が温もりを忘れてしまったような寒い日で、由美子が裏庭での洗濯中なんども手に息を吹きかけていたのを、掃き掃除をしていたわたしは見ていました。

すべて洗い終えて物干し台へ。

わたしは、由美子がいなくなったあとも裏庭を掃き続けておりました。

裏庭におりますと、どうしても例の赤ん坊を埋めた地面に目がいきます。そのときそこには何もなく、ただ黒々としていただけですから、由美子は当然何も気づいていません。死体を埋めるような場面は、あのときいちど目撃しただけでしたので、異様なことが起こるこの家にあっても特別なできごとだったのでしょう。

そんなことを考えていたときでした。

頭上の物干し台が音を立てました。

由美子の仕事はとうに終わったと思っていましたから、まだ干し物が済んでいないのか、長くかかっているな、などと考えて見上げたときです。

物干し台に現れたのが圭介だと気づきました。

逆光になっていましたが、この家に他の少年はおりませんでしたから間違いありません。圭介は由美子が干した父さんの寝間着を竹竿から外し、それを手すりの下へ放りました。

まだ濡れている冬用の寝間着は重く、風を孕んで広がりながらわたしのほうへ落ちてきます。思わず身を引いたわたしの足元、掃き跡がついた地面へ寝間着は着地し、石鹸の匂いがふわっと香りました。

わたしは呆然と、死んだヒラメのように足元に広がる着物を眺め、それからもういちど物干し台へ顔を遣りました。

わたしの姿は物干し台からは死角になっていたに違いありません。圭介は姿を消しておりました。

落ちた寝間着を見下ろしてわたしは考えました。

すぐに拾ったところで父さんの寝間着はとっくに土がついて汚れています。なにより、圭介がしたことだと思うと——それを邪魔したくはありませんでした。

夕方になって、由美子は寝間着が落ちていたことを素直に母さんに謝りました。母さんの笑顔は消え、普段は持ち上がっている口角が顎のほうへ落ち込み、しなびた顔になりました。といってもそれは束の間で、夕食の時間には怒りは収まっていたようです。

「由美子ちゃんが洗った寝間着を落としてしまったから、今夜は他のを出しますね」

母さんがそう言うと、父さんはちょっと嫌そうな顔をしました。これはあとで知ったのですが、他の寝間着というのが、押し入れの中にしまってある継ぎだらけの古いものだと知っていたからでした。

しかし父さんは特に怒りもせず、すみませんでしたと頭を下げた由美子に「次からは気をつけなさい」と言っただけでした。わたしは由美子の顔が明るくなるのを見て落ち着かない気分になりました。やっぱりあたしは幸運だわと心の中で叫んだのがわかったからです。

その食卓の席で由美子は、わたしの皿にそっと自分の干し魚をのせました。

わたしは驚きましたが、それよりも圭介の視線が気になりました。斜に構えた目は、見たこともないほど冷たかったからです。由美子がわたしの皿にのせた魚を圭介が取るのではないかとさえ考え、そっと圭介のほうに皿を押したりもしましたが、結局彼は何もせず、わたしはちょっとずつ由美子から施された干し魚を嚙みました。気持ちは複雑なのに、味はおいしかったのを覚えています。

「もし、答えたくなかったらいいんだけど」

その夜わたしは、いつものように図鑑を開いて眺めながら、机に向かっている圭介に尋ねました。

「うん。何？」

「……由美子のこと嫌い？」

圭介は振り返りませんでしたが、彼の内心は背中の強張りに表れていました。

しばらく経って彼は言いました。

「嫌いだよ」

「どうして」

鉛筆を置く音が聞こえました。

「父さんも母さんも、なんでも勝手に決め過ぎだ」

「圭介の将来のこと？」

圭介は答えませんでした。

しかしわたしには、彼の気持ちがよくわかりました。圭介が養子であり、しかも家長の血縁ではないことが彼に与えている重圧。父さんと母さんがしていることへの反発と、そういうことで稼いだ金で養われている自分の矛盾。それらが混じり合って、彼の心を大きく抉っているのです。

わたしに「春までしかここにいられない」と申し渡しているのにも、理由があるような気がしました。つまりわたしが彼に取って代わるのではないかという恐れです。圭介は母さんと血が繋がっているのですからそんな心配はないでしょうに、それでも不安になってしまうのだと、わたしは理解しました。

しかしそうしますとまた、別の不思議が顔を覗かせます。

だったらわたしを拾わなければよかったのに。

あるいは、父さんと母さんが手伝いの子供を見つけて来いと命令して、だから逆らえずに探して来たのでしょうか。そんな事情があったのかと思うと、なおのことわたしの心は決まったのです。

圭介を不安にさせるなら、春になったらここを出よう。

でもその前に、できるだけのことはするのだと。

便箋がたくさんになってごめんなさい。

この一通にすべてを書かなければなりませんから、ご容赦ください。

もうおわかりのことと思いますが、わたしたちはこの手紙以降、あなたと接触することはいたしません。

さて、圭介の気持ちに寄り添うと決意したわたしが実行したのは、実に子供らしい馬鹿げた行為だったといえるでしょう。由美子を追い出すために、わたしも彼女への嫌がらせに加担すると決めたのです。

寝間着の落下事件について、由美子は何か気づいている様子でした。それはそうです。父さんの寝間着は着物で、竹竿に袖を通すかたちで干してありましたから、作為的にやるのでなければ勝手に落ちるということはありません。由美子も日頃の圭介の態度については思うところがあるでしょうから、頭の中で結びつけているのは当然といえば当然でした。

そのせいでしょう。由美子は、唯一気安く話しかけれるわたしに、普段よりも積極的に話しかけてきました。そしてわたしは、そんな由美子の態度を利用することにしたのです。

昼飯を食べたあと、由美子が台所の後片付けをしている時間を見計らって、わたしは裏庭の物置に向かいました。父さんは診療鞄を持って出かけ、母さんも付き添っています。圭介はいつもの通り書斎にこもっておりました。

わたしは物置に入ると、踏み台を棚の下へ置いて乗り、適当なものをわざと床に放り投げて大きな音を立てました。

台所と物置は隣接しています。由美子は、すぐにやってきました。

「ああ、由美子さん」わたしはできるだけ同情を引きそうな表情を浮かべて振り返りました。「これ、ちょっと、手が届かなくて……」

踏み台に爪先立ちをしながら、わたしは棚の上に手を伸ばして見せました。

そこには木箱がありますが、もちろん本当に用があったわけではありません。

由美子は微笑んで物置に入ってきました。

「取ってあげる」

わたしはありがとうと言いながら、おっかなびっくりした様子で踏み台から降りました。そのとき、素早く、踏み台の下にあらかじめ用意しておいた木の板を挟みました。

そして、棚の前を離れました。

「これね。これなら取れ――」

お姉さんを気取った由美子の声は、踏み台に両足をのせた瞬間に途切れました。

由美子の体重がかかった途端、踏み台は呆気(あっけ)なく傾いて、由美子はうしろ向きに倒れたのです。その倒れ方が想像よりも大きかったので、わたしの心に冷たいものが走りました。腕を伸ばして、せめて頭を支えなければと思ったのですが、由美子が空中で体を捻ったのでわたしの手を逸れてしまい、鈍い音と一緒に由美子の体は床に叩きつけられました。

わたしは息を呑みました。望んでしたこととはいえ、てっきり踏み台が傾き、由美子がびっくりして棚にしがみつくと思ったのです。そうしたらきっと、まさかと思いながらわたしを見るだろうから、そうしたらニヤリと笑って、わたしもおまえの味方ではないと知らせてやろう――そういう計画でした。

由美子が倒れた音のせいなのか、それともわたしが上げた叫び声に気づいたからだったのか。

書斎にいた圭介が飛んできました。

そのときまだ由美子は地面に横倒しになったままで、わたしはそばで立ち尽くしていました。

何が起きたのか、圭介も察したのでしょう。わたしたちを見るなりはっとして由美子の傍らに屈みました。

このときの彼は医者になるという漠然とした決意に突き動かされていたのかもしれません。由美子をいきなり起こしたりはせず、大きな声で呼びかけました。

「大丈夫か！」

するとと由美子は、意外にもはっきりと答えました。

「大丈夫……。ちょっと痛いけど……」

その声に余裕を聞き取ったわたしは、へなへなとその場に座り込んでしまいました。

由美子はゆっくりと体を起こし、怪我がないか自分でも確かめていました。

「骨が折れたりはしてないみたい。どこか痣になってるかな……でも、ひどい怪我じゃないわ」

「――あっ」

「何？」

濁った声を上げた圭介は、青ざめた顔で由美子の足のほうへ視線を向けています。わたしも圭介の視線を追いかけました。

そして、見たのです。膝のあたりまでスカートがめくれ上がった由美子の足に、一筋の血が流れているのを。

血を見たわたしは冷たい炎に炙（あぶ）られるような恐怖に慄（おのの）きました。出血するなんてよほどの大怪我ですから。頭が真っ白になりましたが、それでも心のどこかでは、圭介がなんとかしてくれるのではないかと期待していた気がいたします。

ですが圭介も、言葉を継げずに固まっていました。

「大丈夫よ！」

停止したような沈黙を破ったのは由美子でした。

「これは怪我じゃない。きっと……」

「きっと？」わたしは尋ねました。

由美子の声には苦痛や疲労の色はありませんでしたが、正体のわからない不安は混ざっていました。

由美子は、わたしを見ました。

その眼差しはこの作戦を練ったときにわたしが想像していた悔しさに満ちたものではありません。むしろ慮（おもんぱか）ってくれているような――わたしの内側にある何かを守ろうとしているような色でした。

わたしは、たじろぎました。これもまた、そのときには理由がわかりませんでしたが、わたしは彼女に畏れを抱いたのです。

「とにかく、これは怪我じゃないから。圭介さん、脱脂綿を持って来てくださる？」

いきなり話をふられて、圭介はびっくりしたのかもしれません。大袈裟に飛び退き、そして動揺を隠そうとでもするかのように、曖昧な返事をしてその場を離れました。

二人きりされてしまったわたしは動くこともできず、由美子のそばにおりました。

由美子はまたわたしに微笑みかけました。

人の瞳は心を映すとはよく言ったものです。

そのときの由美子の目には、これ以上わたしを不安がらせてはいけないと自戒している感情が、水のように揺れておりました。

「本当に、大丈夫よ」そう言うと、ゆっくりと立ち上がりました。

足を伝う血はそれほど多くはありませんでしたが、由美子の若い膚に鮮やかな印をつけて流れ、やはりぞっとするものを感じさせました。

「ね。骨は折れてないから……」

「でも……血が」

「この血は、違うの」

「違う？」

由美子は考え込んだように見えました。

「たぶん。おかみさんが戻ったら、わたしもちゃんと確かめる」

由美子は首を傾げて、さらに深く微笑みました。

これ以上は訊かないで。彼女の瞳の表情を読み取ったわたしは、素直に従ったのです。

——夜になって、由美子はわたしと圭介の部屋を訪れました。

わたしたちは廊下に正座をして車座になり、由美子の話を聞きました。

「……月のもの？」

由美子が口にした言葉をわたしも繰り返しました。

由美子は神妙な面持ちで頷きます。

「男の子にこういうことを言うのはどうかと思うけど、気にしてるでしょうし。話しておこうと思ったの」

圭介は黙って目を伏せています。わたしは好奇心に負けて質問を続けました。

「それ何？」

由美子は頭の中で考えをまとめるような沈黙を挟んでから、女性の生理について簡潔に話してくれました。子供が相手ですから生々しくならないように、月の満ち欠けを例えに出して、女性の体はひと月のあいだに変化するものだということを教えてくれたのです。

「満月のときに月のものが来ることが多いそうよ。人間の体も、自然と繋がっているのね」

そんなふうにきれいにまとめたので、わたしは感心したものです。

その夜はそれで話がおしまいになり、それぞれが部屋に戻りました。

わたしは改めて人体図鑑を開き、それらしい項目を探しました。女性の生殖器の説明に探している内容を見つけましたが、漢字が難しくてやはり読めません。でもそれ以前にわたしは、生命の誕生に関する記述を生々しく感じ、その頁から目を背けました。

圭介はどう思っているのだろうと見ると、彼は勉強机に向かったままじっとしています。帳面や本を開きもせず、深く考え込んでいるように見えましたが、唐突にこう言いました。

「昨夜あんなことを言ったのは迂闊(うかつ)だった。おまえはもう、由美子に何もするな」

「……でも」

「いいから。言う通りにしろ」

その口調には、口を閉じて従わなければならない厳しさがありました。逆らえば、ぎりぎりのところで保たれているこの家の均衡が崩れてしまうと感じるほどの。

わたしが黙ると、圭介は体をこちらへ向けて真剣に訴えました。

「その代わり、おれが何かをしろと言ったら必ずしてくれ。理由を説明しなくてもだ。約束できるか」

わたしは深く頷きました。それだけでは足りないような気がしたので、図鑑を閉じ、圭介の前に正座をして小指を差し出しました。誓いの証(あかし)に指切りをするつもりだったのです。

圭介はふっと笑い、わたしの手を握りしめて言いました。

「おまえとほんとに兄弟だったら良かったなあ」

それはまったく同感です。


それからの数日間、家の中の雰囲気はまた大きく変わりました。

表立って何かが起きたわけではありません。

父さんと母さん、圭介や由美子、そしてわたし。みんながそれまで通りに暮らしていただけです。でも確実に、由美子がこの家に来たときよりも、皆が張り詰めていました。父さんは診療鞄を持たずに出かけることが多くなり、母さんはまるで見張るように由美子と一緒にいるようになりました。圭介はというと、また別の緊張を抱えているように見えました。しかもそれを、まわりの者には隠そうとしている。わたしはどうにも落ち着かず、一日も早く由美子が現れる前の、歪んでいるけれども見ないふりさえしていれば穏やかだった日々に戻りたいと願いました。

そして、由美子が月のものを迎えてから七日が経った夜のことです。

真夜中、眠っていたわたしを圭介が起こしました。

「静かに。約束のことは覚えてるか？」

わたしは枕に頭を載せたまま頷きました。

月のない夜だったのかもしれません。部屋は暗く、圭介の顔の輪郭は黒い靄の向こうにあるように朧気でした。それでも、圭介の瞳の輝きだけは見えるのです。吸い込まれるような瞳の中に、力強い意志の光が宿っていました。

「今からおれたちは由美子を襲う」

わたしの喉から問い返す声が漏れました。

「父さんが上がって来て、そのまま由美子を階下に連れて行く。おまえは部屋で眠ったふりをしてろ。だけど、いいか、おれたちが降りて行ったら、おまえは着替えて、これを持って一階に降りて来い」

圭介が掛布団越しに押しつけたのは、中身が詰まったリュックでした。ビクターからもらったものですが、中身まで同じではなかったでしょう。

わけがわかりませんでした。しかし、わたしの混乱をよそに圭介は続けます。

「いいか、一階に来たら、診察室のドアのうしろで待機してろ。見つからないようにするんだぞ。そのうち由美子が飛び出してくる。そしたらおまえは由美子と一緒に逃げろ」

「――どこに……?」

圭介の目に稲光のようなものが過りました。それは、苦痛そのものといっていい感情でした。

「どこへでも。ここから離れて、そして何があっても戻るな。わかったな？」

わたしは答えませんでした。頭の奥に「おまえと兄弟だったら良かった」と言ってくれた圭介の声が蘇り、布団の中に入れっぱなしの右手が熱くなりました。

「言うこと聞くって言っただろ」

さらに強くリュックを押しつけられて、わたしは反射的に顎を引きました。

遠くから、誰かが階段を登って来る足音が聞こえてきました。いつもよりもどっしりとした、父さんの足音です。

圭介の目から苦痛が消え、強い光がふたたび目を覆いました。

「頼むぞ」

低く囁いて彼はわたしから離れました。

圭介が襖から素早く滑り出て行くと、廊下からぼそぼそと話し声が聞こえました。薬がどうとか言っています。圭介は寝る前に、わたしに睡眠薬を入れた水を飲ませたのでよく眠っていると言いましたが、むろんそんなもの飲んだ覚えがありません。

わたしの心臓が早鐘を打ち、頭の中で思考が渦を巻きました。瞬きをすれば瞼の裏側に赤い炎が見えます。それは春先の、寒い夜空を焦がした空襲の炎なのでした。

わたしは物音を立てないように布団を抜け出て、圭介に言われた通り服を着替えました。体は震えていましたが、心は冷静でした。圭介の強い目が、わたしに力を与えていたのです。圭介の命令を守ろう。頭にあったのはそれだけでした。

リュックを抱きしめて襖の内側に身をひそめていると、廊下の奥で重たい音が何度か聞こえました。

やがて、奥の部屋の襖が開く音がして、廊下がきしみました。小さな悲鳴がその音に混じります。由美子が上げた悲鳴でした。

「お父さん……？　何するんですか。何なんですか」

由美子の掠れた声は、少し舌ったらずな感じがしました。

「叫んだりしたら痛い目に遭うよ。圭介、連れておいで」

「はい」

父さんが階段を降りる音に続き、圭介と由美子の足音が廊下を通り過ぎました。

「何なの……？　圭介さん……これは悪い夢？　あたし、なんだかぼうっとして……」

圭介は答えませんでしたが、由美子の足取りはおぼつきません。もしかしたら由美子は本当に、何らかの薬を飲まされているのかもしれないと思いました。無理に起こされたから目が覚めたものの、薬の効き目は続いているのでしょう。

「黙って歩け」

命令する圭介の声が完全に聞こえなくなってから、わたしはリュックを肩に掛けてそっと襖を開けました。

廊下の暗闇は何事もなかったかのように静まり返っています。

その静けさを乱さないよう注意しながら階段を降り始めたところで、由美子の悲鳴と、何かが床に落ちる音が聞こえました。ぶつかりあう金属の音も。音の出どころは診察室のよう。

わたしは逸(はや)る気持ちを抑えながら一階に降りて、入室を禁じられていた診察室の扉を開けました。

中は真っ暗でしたが、奥に扉が開いた部屋があり、そこには明かりがついています。その明かりが薬品棚や診察台や机を照らしておりました。

奥の部屋の中央に台のようなものがあって、その上に左右から圭介と父さんに押さえつけられてもがいている由美子の足が見えました。

「嫌がることないのよ、由美子ちゃん。不妊手術をしないままじゃ、この先で傷つくのはあなたなのよ」

台の傍らで銀色の機具を準備しながら、母さんがそう言いました。不妊手術という言葉の意味をきちんと理解したわけではありませんが、母さんの声はわたしの体の奥底を疼かせる恐ろしさがありました。

由美子には、私よりもはっきりと意味がわかったのでしょう。なんでそんなことを、と問いかけました。

「手術が終わったらちゃんと話すよ」答えたのは父さんです。「さっさとやってしまおう。圭介、注射。こっちは押さえておくから」

父さんの命令の通りに、圭介は台を離れました。父さんが由美子にのしかかりましたが、由美子の足は遊びのようにばたばたと暴れるだけです。

圭介が部屋の片隅に消えました。

戻って来たとき、彼は注射器ではなく、ビクターに会うときに持っていたピストルを握っていたのです。

「圭介さん？」

母さんが気づいたときには、圭介は父さんに向けて引き鉄を引いていました。ですが、弾は出ません。

圭介は咄嗟にピストルを振りかぶり、呆気にとられている父さんを殴ると、身を翻して、悲鳴を上げた母さんの頭も横薙ぎに打ちました。圭介の動きは狩りに挑む獣のようにしなやかで、わたしは彼がこの瞬間のために何度も頭の中で練習をしていたのだと思い知りました。

二人が倒れ、金属の機具が床に散乱する音が響くなか、由美子を背負った圭介は手術室を飛び出し、私を呼びました。

わたしが返事をして姿を見せると、圭介は廊下に由美子を下ろしました。

由美子はがたがたと震え、見開いた目でわたしと圭介を交互に見ています。

「——由美子を連れて逃げろ。いいな」

「わかった」

「由美子、走れるだろ。あんたに母さんが飲ませた薬はすぐ切れる」

「圭介は？」

わたしが問いかけると、圭介は手術室を振り返りました。そこでは父さんが、呻きながら頭を押さえています。わたしたちに気づくと、はっと顔色を変えました。

「行け！」

圭介はわたしたちを突き飛ばして手術室に駆け戻りました。

わたしは震えている由美子の腕を摑み、リュックを抱えて走り出しました。

「何なの、何が起こってるのよ！」

叫ぶ由美子の言葉は、興奮のためかだいぶ呂律(ろれつ)が戻っています。足元もしっかりとしていました。

これなら大丈夫だと、わたしは思いました。

勝手口を突き破る勢いで外に転がり出たわたしは、由美子にリュックを押しつけました。

「逃げろ。とにかく遠くに。これを持って」

由美子の涙で崩れた目が、ぼんやりとわたしを見ました。

「何それ……だって、あなたも一緒って……圭介さんが――あれは何……？　あたし、何をされそうになったの？」

わたしは由美子の体を裏木戸まで引っ張っていき、思い切り押し出しました。

「逃げろ。ここには二度と戻るな」

圭介に言われた言葉を、圭介の口調を真似て叩きつけたとき、由美子は思わずといったふうに頷きました。

わたしは裏木戸を乱暴に閉めて引き返しました。

廊下を突進し、診察室に飛び込むと、奥の部屋で格闘する圭介の姿が見えました。圭介は必死にもがいていましたが、すでにピストルは落としており、その右腕は父さんに今にも絡めとられそうで、正面からのしかかってくる母さんの体を足で必死に払いのけています。母さんの手には、銀色に光るメスが握られていました。

「この野郎！　今まで育ててもらった恩を忘れたのかっ」

父さんの額には、圭介がつけたのでしょうか、痣ができて血が滲んでいました。圭介は闇雲に暴れていますが、二人のほうが有利であるように見えました。

わたしの体の中で、埋められる赤ん坊を目撃したときに生まれた、いや、ひょっとしたらもっと前からわたしの内側に巣食っていたのかもしれない怪物が首をもたげました。その怪物がわたしに、今すべきことを教えたのです。

父さんの声が聞こえます。

「おまえっ。あの娘を連れ戻せ、まだ遠くへは行っていないはずだっ」

ひときわ大きな音。圭介の悔し気な呻き声と、母さんがこちらへ向かってくる物音。そのふたつを全身で聞いたわたしは、目に留まった机の上の万年筆を取りました。

キャップを外します。

尖った金色のペン先が明かりを弾きました。

「まったく、なんだってこんなバカなことすんだろうね」

母さんが診察室の床を踏んだ瞬間です。

わたしは彼女に飛びかかりました。

組み伏せたかったわけではありません。

ただわたしは、母さんの首の皮膚をうっすらと盛り上げる、木の根のような血管を断裂させたかったのです。

母さんの目玉がわたしのほうを向くわずかなあいだに、わたしはそれをやり遂げました。

金色のペン先が皮膚を嚙んだ瞬間、わたしは「あまり深く刺さないように」と自分に命じました。図鑑で見た血管は、血管の中では太いほうでしたが、その円の直径は小指の爪よりも小さなものです。そして脂肪の層はわずかで、筋肉や骨のほうが多い。それらふたつは絵で見てもとても固そうでしたから、万年筆のペンで食い破れるのは柔らかい部分だけだと考えたのです。

ほんのちょっと沈めたペン先を、もどかしい手ごたえに耐えながら、横にずらします。皮膚の裂ける感触が、ちょっとだけ強くなりました。そして、あいた穴からは血が。わたしの頬にかかった勢いから、これはちょっとやそっとでは止まらないと確信を持つと、わたしは母さんの体を思い切り引き倒して手術室に飛び込みました。

そこでは驚きを浮かべた目が二組、わたしを見上げていました。わたしが大きく跳躍したから、揉み合う二人を見下ろすかたちになっていたのです。わたしは空中で万年筆を持ち直し、赤い色に染めたペン先でしっかりと狙いを定めて、父さんの左の眼球に押し込みました。

絶叫が轟きました。その声は手術室の厚い壁に守られて、外へは逃げませんでした。

着地したわたしは、床に散らばった器具を素早く眺め、これから行うことにもっともふさわしいものを選びました。鋭いメスです。よく磨かれた、いちばん光を反射していたものを手に取り、片目から万年筆を生やしたまま身もだえている父さんに向き直りました。

「やめろ！」

圭介の叫びを、わたしは撥ねつけました。

だってそうでしょう。

圭介はわたしよりも人間の体の勉強をしていたのです。でもわたしに見えていたもの、自然と染み込んできたものが、彼には見えていませんでした。どの血管を切れば大量に出血するか、骨はどの部分が脆いのか、失ったら動くのに支障が出る器官はどこか。そういうことが全部書いてある本を、わたしよりも長い時間読んでいたのに、彼は一撃で敵を倒せなかった。

だから、わたしがやるのです。

わたしは父さんの胸に膝で乗り上げました。

父さんが、残された目でわたしを見ました。

人の目はこんなときでもうっとりとするほどさまざまな感情を映していました。わたしがしようとしていることを悟り、やめろ、よせ、なんでだ、と大きく口を開けて叫びました。

わたしは、その開いた口の奥へメスを突き刺しました。

そこには太い血管があります。しかしさらに、腕ごと入れる勢いで押し込むと、少し抵抗があって、奥にある高野豆腐（こうやどうふ）のようなものに届きました。小脳だったでしょうが、そのときはそこまでは思い出せませんでした。ただ大事な器官であるのはわかりましたので、ぐりっとメスを回転させました。

父さんは口を開いたまま体を硬直させました。

わたしは腕を引き抜き、父さんを見下ろしました。その目にはまだ命がくすぶっています。わたしがしたことに怒り、なぜなんだと意味を問うています。その瞬間、わたしの心は震えました。あなたにこんなことを言ったら戸惑うかもしれませんが、命が消える瞬間はとてつもなく美しく、そんなものを消してしまう自分の所業は極めて醜いと、心底から感じることができたのです。

父さんが絶命すると、わたしは母さんのもとへ行きました。

母さんはまだ息がありました。

空っ風のような荒い呼吸を途切れ途切れにしています。とても苦しそうで、目の光が縮んでいくあいだ、苦痛だけが現れていました。

ああもう死ぬ、と思ったとき、わたしはこの人が作ってくれたご飯の味を思い出しました。

「お世話になりました。ありがとうございました」

言い終えたあたりで母さんは事切れ、そしてわたしの背後で圭介が呼びかけてきました。

振り返ったわたしは、圭介の右腕が奇妙な方向に曲がっていることに気づきました。

いや、一息に書いたので疲れてしまいました。

読んでいらっしゃるあなたもご同様でしょうね。

あと少しですから、ご寛恕（かんじょ）ください。

それからわたしは圭介の腕を固定し、そのままそこで待ちました。わたしたちにはあとひとつ、やらなければならないことがあったのです。あなたに堕胎手術を施そうとしていた、ということは、あなたを受け取りに来るはずだった者がいるはずです。父さん母さんと仕事をしていた、いつも来るやくざ者。圭介は、もし生き延びることができたら、あのやくざ者も倒そうと決めていたと言いました。世界を汚す人間全員を刈り取るのは無理でも、一人減らせれば、その一人が傷つけるかもしれない誰かを救える。わたしも、彼の意志に同意しました。

そこからの数時間について詳しく書けばあなたを巻き込んでしまうかもしれませんので、ここに記すことはできません。しかし、あなたもご存知のこととは思います。わたしたちは結果として、父さん母さんと繋がりのあったやくざ者だけでなく、その背後にいた、女性や子供を売買する集団を潰しました。集団といってもほんの十数人だったこと、戦後に湧いて出たチンピラばかりだったので統率が取れていたとは言い難かったことが幸いしたのです。しかも相手は、子供であったわたしたちに対して油断もしましたから。もちろんそのときには、父さんの抽斗で見つけた弾をピストルに込めて、おおいに役立てました。

この一件は今も、『戦後女性あっせん組織皆殺し事件』と呼ばれて、未解決のまま気味悪がられておりますね。

すべてを終えたあと、わたしと圭介はビクターの元へ行き、自分たちがしたことを話しました。

わたしたちが作った死体を始末してもらうためではありません。わたしたちを殺して、後片付けをしてもらうためでした。

わたしを生かそうとしてくれた圭介ですが、本人は父さんと母さんを始末したあとは生き延びるつもりがなかったようでした。そしてわたしもこのときは、圭介の焦燥に共感し、彼が死ぬつもりならわたしも一緒にと心を決めておりました。

しかしビクターは、わたしたちに「死ぬな」と言いました。絶対にだめだ、許さない。情けない話ですけれども、わたしと圭介はその言葉を聞いてわんわん泣きました。わたしたちは、本音を言えば生きていたかったのです。

その日、わたしたちはいろいろな話をしました。

あなたが気になっていそうなところだけを書いておきますね。

まず、あなたに嫌がらせをして追い出そうとしたのは、あなたを守ろうとしたからでした。圭介はわたしを生かすために、春までは時間稼ぎをしたかったのです。

父さんは、もともと外科医として大学におりましたが、何かの失敗で職を追われ、戦後は生きていくために娼婦(しょうふ)の堕胎手術や不妊手術、病院に行けないやくざ者の手当などをしていたそうです。時には死産させた赤ん坊を裏庭に埋めて骨にし、掘り出して母親に返してやったりもしていた。母さんはずっと、そんな父さんの手伝いをしていましたが、どちらかというとそういうことをするように唆したのは母さんのほうでありました。

二人が元からそんな性根だったとは思いません。けれど、食べていくこともままならない時代が、彼らをあのような仕事に寄せていったのでしょう。

圭介は言いました。

「うちに出入りしていたやくざ者から注文がきたんだ。なるべく無垢な身寄りのない女を調達してくれって。それで初潮がきたら子供を産めない体にして、こっちに寄越せ。あと、男の子。需要はあるんだって。なるべく従順そうな子供を見つけて来るように言われたから、その逆を探した。それがおまえだったんだよ」

闇市でのわたしの動き方を見て、圭介は頭がいい子供だと判断したのだそうです。父さんと母さんは折に触れて、男の子のほうは肥らせて、春になったら売ろう。女の子のほうはいつ手に入るかな、と言っていたそうです。だから圭介は、春までは時間があると思っていたのです。

　圭介は決めていました。

　私を無事に逃がしたら、かわいそうな女の子が見つかる前に父さんと母さんを殺して、自分も死ぬと。

「どうしてあなたまで……？」

「おれは、食べたから」

「人を？」

　圭介はちょっと目を見開き、怒りと苦笑が半々の笑みを浮かべました。

「赤ん坊をさ、埋めた場所に野菜を植えて。それを料理したんだ。あとから父さんたちに赤ん坊を掘り出す手伝いをさせられて、知った。これでおまえも共犯だぞって言われた」

　裏庭の畑。

　わたしの皿から圭介が取った、決してわたしに食べさせまいとした野菜。

「素直に従っているふりをして、ぎりぎりまで待ったのは、この状況をうまく使えば生きていけない子供と、不幸になる女を一人ずつ救えるとわかったから。今までしてきたことを考えれば釣り合いは取れないけど、誰も助けられないよりはいい」

「──ありがとう」

「礼なんか言うな」

「どうして？」

「……おまえにあんなことをさせた。ごめんな。つらかっただろ」

「そんなことないよ。だって、ぼくは前にも人を殺したことがあるから」

唖然としている圭介に、わたしは自分の身の上を打ち明けました。

浅草で暮らしていた当時、わたしには弟がおりました。空襲の夜、母はわたしに弟を託し、先に逃げてと言いました。あたりが火の海になり、川に飛び込みましたが、三月の水中は身を切るように冷たかった。弟にしがみつかれて、わたしは何度も沈みました。やめろと言っても、弟はわたしを浮き輪にするみたいに幾度も幾度も……だから、弟の頭を水に浸けてやったのです。

緊急避難だと、あなたは思われますか。

違います。

わたしは確かにあのとき、誤魔化しようもなく弟が憎かった。弟は体が弱く、母は少ない食料を弟に優先して与えていた。そのうえこんどは、わたしを踏み台にして自分だけ助かろうとしている。恨みを込めて沈めたのです。たくさんの命が燃えた夜、わたしは孤独な殺人者でありました。

圭介に代わって父さん母さんを殺せたのは、ひとえに、わたしに躊躇がなかったせいです。それほどに人を殺すという経験は、前と後で大きな隔たりがあるものなのです。もっとも今では、それも殺人者の才能あってのことだと理解しておりますが。

　わたしたちはそれからしばらく、ビクターに匿ってもらいました。

　ビクターの仕事を手伝うことで、わたしたちの人体への理解は深まりました。時にはビクターが愛飲している手製のタバコを巻いてやったりして、こんなふうに言うのもおかしな話ですが、あの日々はそれまででいちばん、安らかだったと言えるでしょう。

　ビクターがなぜ死体の取引をするようになったのか。彼は話してくれましたが、ここでは割愛いたします。彼の仕事についてわたしは弁明する余地を持ちません。ただわたしと圭介は、ビクターが守ってくれなければ今ここでこうしていることはできなかったはずです。

　圭介の怪我が治る頃、これからどうするつもりなのかとビクターに訊かれました。

　ビクターは新聞に載ったわたしたちの事件の記事を見せてくれました。衝撃的な内容で、しかし、犯人は義憤（ぎふん）に駆られた英雄だろうというようなことが書いてありました。あなたや圭介の名前が出ていなかったのは幸いです。

　わたしたちは考えました。

警察に行ってすべてを話せば、あなたのことも言わなければならない。それではせっかく救ったあなたに嫌な思いをさせることになる。なにより、わたしたちは罪を背負ったまま生きようと決めていました。だったらこの命を活かす方法を考えなければと。

わたしたちが出した結論は、殺し屋になる、というものでした。

こんな時代です。誰かを殺さなければ救えない者もいる。両手を血で汚したわたしたちだからこそ、できる仕事があるはずです。

新しい名前を持とうということになり、さんざん考えたのですが、結局、月の満ち欠けに関係のある名前にすることにいたしました。満月の望、新月の朔。女性の月経は生命の誕生と深く関わっているという話が心に残っていたのです。

それから、苗字。ここには願いを込めました。幸せな人が一人でも多く世界に存在しますように。わたしたちの力で、不幸から遠ざけることができますように。久しく、遠くへ。久遠。それがわたしたちの名前になりました。

他にも、仕事をする際の決まり事を五つほどこさえました。

準備が整うと、ビクターの提案で、わたしたちの最初の仕事を、それとなくわたしたちの仕業であると業界内に流しました。ただし、わたしたちがあの家の子供であることは伏せて。すると久遠は、突如現れた凄腕の殺し屋のように言われ始めました。

実際、それからのわたしたちの仕事は完璧で、殺し屋の才能があったのだと認めざるをえないのですが、現在では『伝説の』という冠をいただいております。

そして時は過ぎ、先日のことです。

偶然の恐ろしさについては学んできたつもりでしたが、街で子供を連れたあなたに声をかけられたときには飛び上がりましたよ。よくわたしだとわかりましたねと言うと、あなたは「目が変わってない」とおっしゃいましたから、まあわたしは、最初に会ったときから人殺しの目をしていたのでしょう。

さあ、そろそろわたしの手紙は終わりです。

最後に、大変申し訳ないのですが、あなたに重い決断を迫らなければなりません。

圭介は怪我がもとで右腕が不自由になったので、仕事は主にわたしがしています。

久遠になって数年後、わたしたちには弟子ができました。彼はわたしたちと会ったとき、幼い子供でしたが、すでに親方に言われて人を殺す鉄砲玉として扱われておりました。少年の親方を葬ったわたしたちは、彼を連れ帰りました。

あの頃のわたしのように、少年はわたしたちに懐いていきました。教育を受けたことがない彼に、わたしたちはさまざまなことを教え、できれば一般社会に戻そうとしたのですが、十一歳になるまでふつうの人間関係の中で暮らしたことがなかった少年は、周囲に溶け込むことができませんでした。

そして今。成長した彼は自分も殺し屋になり、久遠の名前を継ぐと言っています。わたしと朔――朔が圭介の名前です――は、話し合いをして、あなたの審判を仰ぐことにいたしました。

久遠が、この先の未来に続いて行っていいものなのか。

わたしたちが最初に守り、名前に刻むことで忘れまいと誓ったあなたに決めて欲しいのです。そのことで今後、あなたやあなたの家族に不利益が訪れることはありません。

もしわたしたちの存続を望まないのであれば、手紙の末尾に現在の住処は書いておきますし、わたしが父さんと母さんを殺すときに使った証拠品の凶器も同封しますから、お手数ですが警察に送ってください。

でも、もし。

久遠が生き続けることを望んでくださるのなら。

この手紙は燃やして、ただ一言「望む」とお返事をください。そうしたら一切を忘れてください。

あなたにこうして言葉を届けることができるのは、これが最後でしょう。

だから、訊かせてください。

あなたは、お幸せでいらっしゃいますか？

生きていて良かったと、思ってくれていますか?

もしその答えが「はい」だとしたら、わたしたちは嬉しい。本当に。

父さんと母さんの死についてのあれこれは、完全にわたしと朔の所業ですから、あなたは一片も背負おうとしないでください。もちろんそのあとのわたしたちの人生もです。あなたが久遠を終わらせたとしても、わたしたちはあなたを恨んだりなんてしないし、わたしたちが育てた彼があなたに危害を加えることも絶対にありません。

さようなら。

どうか、お元気で。

ひとつだけ告白を。

由美子さん、あのね、あなたはぼくの初恋の人なんです。圭介にとってもね。

敬具

昭和三十三年　十月　朔日　久遠　望

由美子様

第五話

未來——２０４０年

1

鈴木菜月(すずきなつき)の通夜はささやかに営まれた。月のきれいな秋の宵、大勢の人が集まると思ったのに、意外と寂しい式だった。

高校の教室くらいの広さしかない斎場には、パイプイスが四十前後並べられているが、半分ほどしか埋まっていない。特に若い参列者が少なかった。ぼくが入場したときには後ろのほうにセーラー服の三人組がいたが、読経の途中でぱらぱらと席を立ち、いつの間にか姿を消していた。

そういえば、友達は少ないって言ってたな。

そんなことを思い出しながら祭壇を眺めた。花で飾られた祭壇は菜月が描いた絵に囲まれている。水彩の風景画ばかり。どれも明るくて、それゆえに悲しい。

焼香の番が来たので進み出て、遺影に手を合わせた。黒いリボンで飾られた額縁の中の菜月は、ぼくが知っているはつらつとした笑顔とは異なる、よそいきの微笑を浮かべていた。

　合掌を解くときにそっと棺を窺った。蓋はおろか、蓋につけられている窓もぴったりと閉じている。顔は見せられる状態ではないと聞いていたので、特に驚かない。

　通路に出た。

　左の階段を上がればお清め会場、右へ曲がれば斎場の出口だ。

　ぼくは、右へ向かった。

　低い声に呼び止められたのはそのときだった。

「ねえ、君」

　振り返ったぼくは、階段横の喫煙コーナーでタバコをくゆらしている男と目が合った。

「……ぼくですか？」

　なんとなく、物騒な雰囲気の男だった。歳は四十をいくつか過ぎたくらい。喪服を着てはいるが、ネクタイは崩れているし襟も曲がっている。ひとまとめにした長髪には白髪が混じり、袖から覗く手は節くれだっていて強そうだ。

　なにより、目が怖い。内側に煮えたぎるマグマを秘めたような、こちらの心を抉るような目をしていた。

　男はタバコを灰皿に押しつけ、つかつかと近づいてきた。

「……なんでしょう？」

腰を引きながら尋ねると、男は無言で見下ろしてきた。

そのまま黙っている。逃げたほうがいいんだろうかと思い始めたとき、男はいきなり尋ねてきた。

「君、菜月ちゃんの彼氏？」

奇妙な音が、ぼくの喉から勝手に漏れた。

それを男は肯定と受け取ったらしい。にやりと笑うと、馴れ馴れしくぼくの肩を叩いた。骨に響く力だった。

「なんだよ、あの子、つきあってる相手がいたのかよ」

「……いや、あの、ぼくは」

「隠さなくったっていいじゃん。その制服、菜月ちゃんの学校のじゃないし。わざわざ来てくれる男なんて特別な相手に決まってるだろ」

「あなたはどなたですか」

「おれ？」新しいタバコをポケットから取り出し、くわえる。男の口元は微笑んだままだった。「菜月の叔父（おじ）さんだよ」

「――叔父さん……」

「聞いたことある？」

ぼくは無言で頷いた。

叔父さんがいるの。お父さんの弟。変わってるけど面白い人。

耳に蘇った菜月の声に、ぼくは心の中で反論した。

これは変わっているとかいうレベルじゃない……面白いと言い切るのもどうかと思うよ。

「じゃあ話は早いや。イケメンの素敵な叔父さんって言ってたでしょ」

そういう表現は欠片（かけら）も出ていない。

とにかく話を切り上げて外に出ようと後ずさった瞬間、男に右腕を摑まれた。

「い……っ」

思わず呻いてしまうほど強い力だ。

咄嗟に振りほどこうとしたが、男の指は鋼鉄のようにびくともしない。

「ねえ」

男は、ぐいと顔を近づけて来た。

酒の匂いと一緒に、熱を孕んだ目が間近に迫る。気がつくと、ぼくは息を止めていた。

「君、犯人に心当たりない？」

「犯人て……」

「わかってるでしょ」

煙を吹きかけられ、ぼくは咽せた。菜月の叔父さんの低い声が一段と重くなる。

「菜月ちゃんにドラッグを盛って放置したクソ犯人だよ」

ぼくの胸は騒いだ。

轢き逃げされた菜月の遺体が早朝の渋谷の路上で見つかったのは、二週間前のこと。血液からは違法薬物が検出され、路上にうずくまっていたところを車に轢かれた可能性が高いと、ニュースでは報道されている。監視カメラの映像から菜月は前夜、渋谷区の繁華街を一人で歩いている姿を撮影されているが、途中からカメラのない区画に入り込んでおり追跡は不可能。翌朝四時、ふらつきながら歩行する姿がふたたび監視カメラに映り、そこから百メートル先の車道で一時間後に遺体となって発見された。

ニュースでは、しかし、菜月の名前は報道されていない。五年前にできた協定により、遺族の許可がない限り未成年の死者の名前は伏せられることになった。

警察は遺体の様子から、本人が自分の意志でドラッグを摂取し、その結果事故死したと結論づけたと聞く。死亡から葬儀まで一週間もかかったのは、こうした事情があったせいだ。

菜月の叔父はタバコを離し、話し続けた。

「どんなことでもいいんだ。つきまとってる奴がいたとか、いじめに遭ってたとか

「……あの子が君にだけ教えた秘密でもいい。何か聞いてない？」

　菜月の秘密。

　ぎくりとしたが、彼女がどこまで打ち明けているのかわからない以上、迂闊に話すことはできない。

「あの、どうして、そんなことを……？」

「決まってるだろ。見つけ出して殺すためさ」

　ぞっとした。菜月の叔父の目は本気だった。それも、衝動的な感情で言っているのではなく、どうやって殺すかまでも頭の中でできあがっていそうな目つきだったのだ。

　摑まれたままの腕を払おうとしたとき、静かな声が割って入った。

「何をしてるんだ？」

　菜月の叔父は気まずい場面を教師に見られた学生のように飛び退いた。放り出されたぼくは転びそうになり、傍らの壁に手をついた。

　中年の男性が靴音を立てて近づいてきた。喪服を制服のようにきちんと着込み、品のいい雰囲気を纏っている。

　男は菜月の叔父をひと睨みしてから、穏やかな表情になってぼくを見た。

「こんばんは」

「……こんばんは」

ぼくが応えると、男はいきなり深い礼をした。

「本日はご参列くださってありがとうございます。菜月の父です」

絶句したぼくに、頭を上げた菜月の父親は柔らかな眼差しを向けた。

「君は菜月の学校のお友達ではないですよね。中学校のときの同級生ですか？」

菜月の叔父が口を挟んだ。

「彼氏だよ」

「えっ」

「あっ――」

違います、と言うのも躊躇われた。ぼくは口を開けたまま二人の男性を交互に見遣った。

菜月の父親は、さっきまでとは異なる色合いの目でぼくを見つめた。

「そうなんですか？」

「え、あの……」ぼくは踵(かかと)を揃え、できるだけ背筋を伸ばした。「な、仲良くさせていただいておりました」

菜月の叔父は鼻を鳴らし、菜月の父親は目に涙を浮かべた。

「そうですか。あの子に……」その続きはあえて呑み込んだように見えた。

「どこで知り合ったの？」

ぼくはある受験対策塾の名前を挙げた。渋谷に本校がある、有名な塾だ。

菜月の父親は深く頷いた。

「ああ。夏期講習に通わせたところ。あの子行く前は渋ってたくせに、通うようになったら急に熱心になってね。なるほど、そういうことだったんですか」

まっすぐな信頼がぼくの胸を軋ませた。

「……すみません」

「謝ることなんか何もありません。むしろ、嬉しいんです。あの子はなかなかお友達ができなかったから」

肩に菜月の父親の手が置かれた。温かく、しっかりとした手だった。その感触はぼくに、この人と家族だった菜月は絶対に幸せだったと教えてくれた。

ぼくたちは束の間、一緒に泣いた。

涙が一区切りつくと、菜月の父親にお清めをすすめられたが、断った。

「さっきの話だけど、何か思い出すことがあったら教えてね。どんなことでもいいよ」

別れ際に念押しをした菜月の叔父に、ぼくは「はい」と答えつつも心のなかで謝っていた。

ぼくは菜月を殺したかもしれない人間の手がかりを握っている。けれど、それをこの人たちに教えるつもりはなかった。

菜月の仇はぼくが討つ。

そう、決めたのだ。


二〇四〇年問題というものがあった。

かつて、二〇四〇年には現役世代一人が高齢者一人を支えなければならなくなることを、そう呼んでいたそうだ。

だがその予測は外れた。

現役世代一・五人が老人一人を支えなければならない比率になったのは三年も前のこと。今では年金制度はとっくに崩れて、定年退職後の再就職は歳を取った者たちの大きな課題だ。健康保険は高齢者が三割負担、六十五歳未満は四割の負担。庶民にとって重篤な病を抱えることは、即、破綻へと繋がる懸案事項である。

そんな世の中だが、自殺率は毎年三万人前後で推移している。内訳のほとんどが七十歳以上だが、自殺は遺書が残っていた場合だけなので、実際はこれよりはるかに多い。ぼくの近所でも最近一人暮らしの高齢者の自殺があったが、隣人たちは「ああまたか」くらいの反応しかしなかった。

世界は傾きすぎて、もう立て直す術はない。ぼくたちは臨終を迎えようとしている肉体の細胞みたいに、自分たちの役割を果たしながら終わりの時を待っている。

菜月の通夜会場をあとにしたぼくは、地下鉄に揺られて渋谷へ出た。

かつて若者の街と呼ばれていたここは、今では闊歩する人間の大部分が大人だ。さすがに手押し車や杖をついた人は疎らだが、顔に皺のない人間は少ない。つやつやした肌の若者もいるにはいるが、その大半が外国語でおしゃべりをしている。物陰には、うずくまるホームレスの姿。繁栄は遠い過去だ。

駅前の交差点を渡るとき、ぼくはうしろを振り返った。

昔はこの交差点で立ち止まると人にぶつかられたらしいが、今はそんなことはない。止まっている不埒者を避けて通る余裕がある。それを知っているぼくは、呼吸一回分の時間、その場に足を釘付けにして背後の駅ビルを見上げた。

円錐形のビルの壁面に、生真面目な字体の看板が浮かび上がっている。漢字だらけの学習塾の看板だ。そのうしろにある教室で、ぼくと菜月は夏を過ごした。

心に染みた痛みを嚙みしめて、ぼくは歩き出した。歩行者側の信号はまだ青。もうこの国には、急いで向かわなければならない場所なんてない。

進んで行くに従って、人の流れは減って行った。耳に飛び込んでくる外国語も聞こえなくなり、看板の光が消えていく。路地をひとつ曲がると、そこはもうしんと静まり返った暗闇だった。

道の半ばにひとつだけ、明かりが灯っている看板がある。まるで妖精が灯したランプのようにひっそりとした青い光。その下には、アルファベットの『Q』の文字。

ぼくはその光に向かって歩き出した。

2

看板の横にある通路の先には自動ドアがあった。そこを抜けると、落ち着いた照明に照らされた廊下が現れた。床には赤い絨毯が敷かれ、左右の壁はマーブル模様の石。模造品の大理石だろうなと思ったとき、真横から声が飛んできた。

「こんばんは」

顔を向けると、正面からは死角になっていた位置に受付があった。ホテルのロビーカウンターを小型にしたような飴色の台があり、そのうしろに黒いシャツを着た女性がいた。白髪を上品にカールさせた、深い皺が温かい印象の女性だが、瞳は油断なくこちらを観察している。

「何かご用？」

ぼくはこの瞬間のために何度も練習してきた言葉を口にした。

「……友達から、ここのことを聞いて来ました」

「お友達から？」

「はい、高校の。でも、名前は言うなと言われているんです」

女性は探るようにぼくを見つめた。圧迫感を覚えながらも、ぼくは目を逸らさなかった。

「そう。いいわ。アルバイトをしたいのね？」

女性は表情を緩めた。

「ええ」

「ここのことはどんなふうに聞いてる？」

「そんなに詳しく話してくれたわけじゃないんです。ただ、安全だって」

女性はにっこりした。

「もちろんよ。ただ、お店では制服を着ていてもらうけど、それは大丈夫？」

「わかりました。制服は貸していただけるんですよね？」

「そうじゃない。学校の制服でってこと」

ぼくは自分が着ている詰襟の学生服の胸に手をあてがい、考えた。女性は笑顔のまま、何かを理解させようとするようにぼくを見ている。

「――なるほど」

「じゃあそのまま下へ降りて、廊下の角を曲がったところにあるロッカールームに荷物だけ置いて、フロアに入ってちょうだい。くれぐれもスタッフ用のロッカールームを使ってね。あ、それから、スマホはそこのロッカーに預けて」

振り返ると、小さなボックスが並ぶロッカーがある。

スマホをボックスに入れていると、女性は「スマホもずいぶん小さくなったもんね」と笑った。ぼくはカードのような機械を見た。昔はもっと厚みがあり、重かったらしいが、詳しくは知らない。

通路の奥を見た。正面にはエレベーターが、右側には階段がある。

ぼくは階段を選んだ。

白を基調とした階段は明るく、足音がよく響いた。降りるにつれて、機械の稼働音のようなものが聞こえ始めた。踊り場を過ぎた頃、ぼくはそれが地下から聞こえてくる音楽だと気づいた。

B1に着く。

階段を降りた先には通路が伸びていて、奥には曲がり角が見えた。

反対側へ顔を向けると、通路の半ばに金色の引手がついた両開きの赤い扉があった。音楽はその中から溢れてくるようだ。扉の前を通り過ぎた先には、『お客様用　ロッカールーム』と大きな文字で書かれたおなじ色の引き戸もある。

ぼくは曲がり角を折れた。すると一メートルも行かない突き当りに、『STAFF ONLY』の札が下がった白いドアがあった。塗装がところどころ剝げていて、あきらかに手入れされていない感じだ。

ドアのノブを回す前に、ぼくは天井を窺った。

監視カメラはない。

通路を引き返し、こちらの天井も見た。半円形のカメラが、両開きの赤い扉と客用のロッカールームのあいだの位置にある。フェイクかどうかは確かめようがない。

体を戻し、今度こそスタッフ用のロッカールームに入った。

教室の半分ほどの広さの部屋には人影はないが、煌々と明かりが灯っている。

壁には扉つきのロッカーが並び、中央には安っぽい合板のテーブルと六つのパイプイス、そしてプラスチックのカゴにお菓子が詰め込まれていた。他にもお茶やジュースのペットボトルが数本。書き置きの類はないが、自由に飲み食いしていいものなのだろう。よく見ると、カゴのそばにはお菓子の小袋の残骸が残されていた。

ロッカーの鍵は指紋認証式である。空いているボックスに鞄を入れ、内側にひと工夫を施しても、部屋を出るまで五分とかからなかった。

友達からここのことを聞いたと受付の女性に話した手前、細かい質問はできなかったが、フロアというのはさっきの両開きの扉の向こうにあるのだろう。

ぼくが廊下へ出ると、エレベーターの扉が開いたところだった。一瞬見えた中の人が学生姿ではなかったので、曲がり角に隠れて様子を窺う。降りた人物はどうやら客用のロッカールームに入ったようだ。そこへ向かうまでの足取りに迷いは感じられなかったので、ここに来慣れているのかもしれない。

足音が聞こえなくなってから、ぼくは両開きの扉を開けた。

内側から音楽が溢れてきた。音量がすごくて、全身に力が入る。フロアは薄暗いが、白や青や赤の光が紙吹雪のように飛び交い、音楽と人々の話し声が混じり合っていた。

ぼくは後ろ手に扉を閉め、その場でフロアの様子を観察した。

扉の右側の端にＤＪブースがあり、白髪のＤＪがヘッドセットをいじっている。その前は広くあいたダンスフロア。ダンスフロアを囲むようにして丸テーブルが並び、ＤＪブースの反対側にバーカウンターが設えてあるようだ。

室内を埋める人影は、ほとんどが還暦を過ぎた高齢者たちである。皆、奇妙な恰好をしていた。

ある者はひらひらしたステージ衣装のような服を着て、別の誰かは肩パッド入りのジャケットを羽織っている。壁際にはだぶだぶのシャツと、なぜか腰まで押し下げたジーンズ姿のおじいさん。そのそばには、車イスに乗ったおばあさんが大きな襟のニットとチェックのミニスカートという、昔の女性歌手の一例として教科書に載っている写真とそっくりなスタイルでテーブルについていた。

なるほど、とぼくは納得した。

こうした店があることは噂に聞いて知っていた。

日本列島に溢れる老人たちのなかで、少しばかり生活に余裕がある者が通う『クラブ』。

そこでは彼らが若かった時代の服を着て、昔の流行歌に合わせて踊り、自分は若者であるという妄想に浸りながら時間を過ごせると。

そしてそんな店には、特別なオプションが用意されている。

『本物の若者』だ。

人間は鏡に映さない限り、自分の顔を見ることはできない。日常的にその人の年齢や立場を意識させるのは他者の視線である。年寄りばかりが親し気に接してくる環境に置かれたら、ぼくだって自分のことを七十歳だと誤解するかもしれない。

だから、『クラブ』では逆のことをする。

十代、二十代の若者をフロアに放ち、いにしえのファッションに身を包んだお年寄りに対し、同年代に接するやりかたで話しかけてもらう。そうすると客たちは、自分も若いという妄想に耽ることができる。

だが、この店がやっていることは違法だ。

極端に数を減らしたぼくたち十代は、厳重な法律の保護下にある。アルコールを提供する店や、夜十時以降に働くこともできないのはもちろん、店側も十八歳未満を雇うときには役所の許可が必要だ。その場合、店の照明や、伝染病が流行った場合に従業員と客がソーシャルディスタンスを守れるかまでチェックされるから、この店はそもそも未成年者を働かせる許しが下りないはずだ。

ぼくは飛び交うライトの中に『オプション』の姿を探した。

学生服は色が地味だからわかりにくいが、よくよく探すと瑞々しい肢体がわずかに泳いでいる。女子が三人、男子が一人か。警察に踏み込まれたら店側は言い訳ができない。だがそれゆえに貴重で、客のニーズがあるのだろう。

ぼくはバーカウンターに向かった。

禿頭(とくとう)の大柄な男が、笑顔で声をかけてきた。

「こんばんは」

「……こんばんは」

「緊張してる？　もしかして、ここでバイトするのは初めて？」

目ざとい大男に、ぼくはそうだと答えた。

「なんでも頼んでいいよ。もちろんタダだ」

「タダ？」

「君たちはね」

優しく笑う禿頭の男の声は大音響の音楽の下でもよく通った。容貌といい、声量といい、もしかしたら普段は僧侶をやっている人なのかもしれない。最近は葬式を省略することも多いから、宗教界もジリ貧なのだと聞く。

ぼくは差し出されたメニュー表を覗き込んだ。

アルコールがずらりと並び、ジュース類は端のほうに小さくまとまっていた。

「ジンジャーエールを」

「いいの？　アルコールも出せるよ」

ぼくは曖昧な笑みを返した。

男は「真面目だねえ」とからかいながら手を動かし始める。

カウンターに身を乗り出して、そっと尋ねた。

「アルバイトの人数は、いつもこんな感じ？」

「どうかな。みんな一時間か二時間くらいですっといなくなるから」

「じゃあまだ増えるかな。友達もここで働いてるはずなんだけど」

「どうかねえ。でも、友達を見つけてもあまり話しかけないで欲しいな」

「なんで？」

禿頭の男はゆっくりとぼくに向き直り、グラスをカウンターに置いた。グラスの中で氷が揺れたが、その音にはわざとらしい響きがあった。

「ここの主役はお客さんたちだ。わかる？」

考えるふりをするために、ぼくは視線を泳がせた。

頷いて、男に視線を戻す。

「……ぼくたち若者が固まってたら、お客さんの目の保養にならない？」

「その通り。お客さんに話しかけられたら、そっちを優先しな。チップももらえるよ」

「チップ？」

男は声を低くし、ひどく真剣な表情で囁いた。

「……現金さ」

「わかった。ありがとう」

グラスを持ってフロアを歩きながら、ぼくは改めて散らばっている若者たちを観察した。

女子はいつの間にか四人に増えていた。そのうち二人は違う制服を着ているのに仲が良さそうで、いったいいつの流行りなのかわからない派手なジャケットを着た老人三人に囲まれて手を繋ぎ、ポーズを取って見せている。もう一人は疲れた様子でフロアの壁に寄りかかり、ぼくの視線に気づくと目を背けた。一人だけしかいないブレザー姿の男子は取り合いになっているかといえばそうでもなく、自分から積極的に老婆ばかりのテーブルを回って話しかけていた。

ただ突っ立っていただけのぼくも、数人の大人たちから声をかけられた。言葉少なに応じただけだったが、一時間も経つ頃には、ぼくの制服のポケットは彼らがねじこんだ『お小遣い』で膨らんでいた。禿頭の男が言ったとおり、すべて現金。電子マネーに慣れているせいか、ちょっと落ち着かない。もらったのはお札ばかりではない。そっと入れられた五百円玉の重みがなぜか悲しかった。

「君、カタブツっぽいなあ。学校で孤立してないか？」

何人目かの、客の中では比較的若い、強面の男性に千円札を握らされながらそう言われた。

ぼくは菜月のことを思った。

「いいえ。ちゃんと友達がいま――」敬語を使いそうになったぼくを、客はじろりと睨んだ。「……いるよ？」

客は、ぱっと笑った。笑ってもやっぱり、顔が怖い。

「そうか。ならいいんだ。いや、な、おじさん、息子がいたんだけど。死んじゃったんだよ。学校でいじめられて。君くらいの年頃のときに。こんな話しちゃってごめんな。これでゲームでもして遊んで」

そう言ってもう一枚、千円札をくれた。

二時間もすると、フロアを回遊するアルバイトたちの顔触れは変わり、新しい若者たちが有り余る元気さと老人たちが差し出すお金を交換していた。

フロアの壁に寄りかかって、ぼくは心に忍び込む苦味を嚙みしめた。

菜月がここに入るのを目撃したのはたった一度。

たびたび逢瀬（おうせ）を切り上げて早く帰る菜月に疑問を抱き、あとを尾けたことがきっかけだった。菜月はぼくに、早く帰る理由を「お父さんが厳しいから」だと説明していた。嘘をつかれたショックをどう受け止めていいのかわからず、その後も菜月を問い詰めたことはない。

もし尋ねていたら、彼女の未来は変わっただろうか。

ロッカールームに戻ったぼくは、仕掛けておいた細工を回収して地下を出た。受付の女性は、アルバイト代として、こちらも現金で五千円くれた。

この五千円を、経営者はどんな名目で計上するのだろう。未成年者を働かせるときに書かせる特別な用紙に、ぼくは記入していない。

渋谷駅から自宅最寄り駅へ向かうため、来たのとおなじ道を通った。行きよりも夜道は暗くなっている。街灯も、電気代を節約したい自治体の意向で大通り以外は消される。それでも深夜営業を続けている店のドアから漏れるのは、異国の言葉と知らない料理の匂い。

コンビニも、すべてシャッターが下りていた。コンビニが二十四時間営業だったのは教科書に載るレベルの昔のことだ。ぼくはポケットの中の金をすべて駅前で寝ていた男の枕元に置いた。あの店で得た金を自分で使う気にはなれなかった。

帰宅し、ロッカーに仕掛けておいたものを確認したぼくは、想像が当たっていたことを知った。

3

翌日、学校の帰りに、ぼくはおばあちゃんの家へ寄った。

おばあちゃんの家は雑司が谷にある。大きな霊園のそばで、周囲には似たような築年数の家屋が立ち並んでいる。

「あらまあ、驚いた」

玄関口でぼくを出迎えたおばあちゃんは目を丸くし、恥ずかしそうに自分の髪を撫でた。

「やだわ、あなたが来るなら、美容院に行っておけば良かった」

「そんなの気にしないでよ。はい、おみやげ」

ぼくは駅を出たところの屋台で売っていたぶどうのパックを差し出した。おばあちゃんは皺くちゃの顔に笑みを浮かべ、両手で包み込むように受け取った。

「嬉しい。上がって、お茶を淹れるから」

お邪魔しますと言って玄関を通り抜けた。式台を踏むと、床板が子猫のように鳴く。

二階建てのこぢんまりとした木造住宅は薄暗く、湿った匂いがした。

おばあちゃんはおじいちゃんを亡くして以来、この家に一人で住んでいる。

仏壇にお線香を上げてから、ぼくはおばあちゃんとちゃぶ台を囲んだ。

「困ってることとかない？」

「大丈夫よ。ありがとう」

「角の喫茶店、今日はシャッターが閉まってたね」

「あそこねえ、やめちゃったのよ。このへんも人が少なくなったから、赤字続きだったみたい」

「そうなんだ。老舗みたいだったけど」

「古いものから消えていくのよ。仕方がない……けどね……」

そう言っておばあちゃんは、仏壇に飾ってあるおじいちゃんの写真へ目を遣った。

暫し（しば）の沈黙が続き、時計の秒針が時を刻む音ばかりが響く。最近の時計にはない音だ。

「それで、今日は何かあったの？」

特にないが顔を見たかったのだ、とぼくは話した。

おばあちゃんは驚きつつも、ありがとう、とほっこり笑った。

ぼくはおばあちゃんが淹れてくれた緑茶を飲み、皿に盛りつけられたぶどうをつまみながら、とりとめもない話をした。学校生活の話、流行っている動画やゲームのこと、その他の聞いておいて欲しい話。わかりにくい単語もあったはずだが、おばあちゃんは真剣に聞き、じっくりと考えて、丁寧に応えてくれた。

湯飲みが空になったのを機に、ぼくはお暇（いとま）することにした。

「また来てくれるわよね？」

もちろん、と約束して、ぼくはおばあちゃんの家をあとにした。

帰り際にいちどだけ振り返った。

あたりは夕暮れの色に染まり、おばあちゃんの家には明かりが灯っている。けれど両隣の家は暗く静まっている。道路を挟んだ向かいの二階建てアパートでさえ、明るい窓はひとつしかない。

沈みゆく町に背を向けて、ぼくは『Q』に向かった。

白髪の女性がいる受付を通って、地下へ降りる。

ロッカールームの前で、長い髪の女の子と擦れ違った。他の女子と手を繋いでポーズを取っていた少女だ。帰るところだったらしい少女は、フロアにいるときとは一転した不愛想な横顔で、ぼくを一瞥もせずに出て行った。

ロッカールームはやはり無人で、菓子もペットボトルのジュースも変わらない。ぼくは前回のような細工はせず、フロアに入った。

「お、君は」

バーカウンターにいたのも、昨夜とおなじ照りのいい頭部を持った男性だった。

「良かった。君みたいな真面目な感じの男の子はお客さんのうけがいい。でも、なかなか馴染めないらしくてね」

「何か、コツみたいなものはあるんですか」

「他の子の真似をすること。何なら、会話に入ってもいい。若い子同士で固まってるのは駄目だけど、お客さんを喜ばすためなら一緒にいても構わない」

「……なるほど」

「で、今日はどうする？　またジンジャーエール？」

ぼくはメニュー表を見た。

「マティーニ。ステアじゃなくシェイクで」

禿頭のバーテンダーは大袈裟に目を剝いたが、すぐに笑顔になるとカクテルを作り始めた。

透明の液体にオリーブを入れたグラスを受け取ってフロアを見渡すと、テーブルに一人でいるおじいさんが、傍らに腰をおろしたセーラー服姿の女の子と話しこんでいるのが目に入った。

ぼくは、そちらに向かった。

おじいさんは八十近いくらいか。着ている服は詰襟の制服を模したものだ。ぼくの服装とよく似ているけれど、布の色合いなどが微妙に偽物っぽい。女の子のほうはもちろん本物の制服で、膚の艶も黒々とした髪も本物だった。

近づくと、二人の会話が聞こえてきた。

「サワグチさんは、どんな学科が苦手なの？」

「……私、数学がだめで」

なんとか敬語は使わずにいるものの、女の子の受け答えはぎこちなく、はにかみがちだった。緊張も聞き取れる。

おじいさんはこころもち、相手との距離を詰めた。

「そうなの。得意なのは？」

「国語とか。読書感想文は、いつも褒められるの」

「そっかあ。それは、いいねえ」おじいさんの声はでれでれと脂下（やにさ）がった。

ぼくは会話が途切れた瞬間を狙って声を掛けた。

「こんばんは」

二人の視線が同時にぼくを捉えた。女の子の目は驚きを浮かべていたが、おじいさんのほうは迷惑そうに眉を寄せたあと、何かを閃いたように前のめりになった。

「やあ、委員長。何の用かな?」

意図を計りかねたぼくは唖然とした。が、すぐに、二人のやりとりを思い出し、理解した。

背筋を正して、芝居じみた口調を作る。

「君たちこそ、こんなところで何を? 放課後の寄り道は校則違反じゃないのかな」

女の子がはっと目を見開いた。口元には、賞賛の笑みが滲んでいる。

どうやら芝居をしていたということで間違いないらしい。ここは青春から遠く引き離された者が妄想に浸る場所だから、おじいさんは本物の女の子と苦手な科目の話をすることで、学生時代の幻影を見ているのだろうと踏んだのだ。

そうであれば、委員長と呼ばれたぼくの役割はわかる。

おじいさんは嬉しそうに顔の皺を緩めて、手元のビールを呷(あお)った。ビールなんて校則違反どころではないが、カクテルグラスを持っているぼくに委員長役をふったのだから、これらのものは彼の脳内でモザイク処理が掛けられているのだろう。

「委員長、見逃してくれよ。ほら、サワグチさんからも頼んで」

おじいさんは女の子の肩を突(つっ)いた。

女の子は戸惑いに体を揺らしたが、すぐにぼくたちに合わせた。

「お願いします、生徒会長――じゃなかった、委員長……？」

「仕方ないな。あまり遅くならないようにするんだよ。じゃないと、担任の先生に報告するからね」

「ありがとう、委員長」

おじいさんは突然、ぼくに握手を求めた。ふたつ折りにした千円札が手の中に入っている。

ぼくはその手を握った。お札よりも乾いた手だった。

女の子を見遣る。

目を伏せている彼女に少しだけ視線を長く置いたが、大きな二重の目がぼくを見ることはなかった。

ぼくは二人のそばを離れた。

そのまま一時間ほど、適当に客との会話をこなした。ポケットには現金が増えていき、二杯目のマティーニを飲み干すと、ぼくは『Q』を出た。今日のバイト代も五千円。時給制ではないらしい。

路地へ出て、暗がりに隠れた。

息をひそめて待つと、出入り口から小柄な老人が現れた。地味な服装に着替えているが、さっきぼくに委員長の役割を振ったおじいさんである。フロアでは使っていなかった杖をつき、数歩路地を進んだが、そこで立ち止まった。

こちらを振り返ったので、ぼくは体を縮めた。気づかれたのかと思ったが、違った。

『Q』の出入り口から、人影が現れたのだ。

おじいさんは、「おお」とも「ああ」とも聞こえる声を上げた。人影のほうも何かを言ったが、ぼくには聞き取れなかった。二人は連れ立って表通りのほうに歩き出した。

足音が角を曲がるのを待って、ぼくは二人のあとを追いかけた。

表通りも、すでに暗い。

二人はぼくが歩いて来た道とは違うルートを通った。人通りはあるがまばらな道を抜けると、暗闇の先に二時間単位で滞在できるタイプのホテルの看板が浮かび上がった。そのようなホテルの利用方法は多岐に亘るが、特に年配者がどんな使い方を好むか、ぼくは知っている。

注意深く、ポケットの中のスマホに手を掛けた。

二人は並んで歩き、いくつものホテルの前を通り過ぎ——そして、駅前の喫茶店に入った。

店のドアベルが軽やかに鳴る。ドアのガラスには営業時間が記されており、十一時から二十三時とあった。腕時計を見ると、閉店まで一時間ある。

制服姿の少女とおじいさんの組み合わせを、店員は祖父と孫だと思ったのかもしれない。二人は窓際の席で向かい合った。ぼくは二人の姿が見える場所に立って様子を窺った。

おじいさんはひたすら嬉しそうに、女の子は『Q』のフロアで見せていたのとおなじ曖昧な微笑を浮かべてコーヒーを飲んでいる。

その横顔に、ぼくはスマートフォンを向けた。鮮明な写真を数枚、撮影する。

閉店時間が近づき、二人は店を出た。

そこで向かい合い、女の子が言う。

「アダチさんはＪＲですよね？」

「ああ、……うん」

おじいさんはあたりを見回した。

ＪＲの改札口は目の前だが、何かを言おうとしている。

女の子はじっと口を閉じ、肩に掛けた鞄のストラップを握りしめて向かい合っている。

やがておじいさんは静かに言った。

「ありがとう。また店で会えるかな」

女の子が笑顔を浮かべたのが、ぼくのいる場所からも見えた。

「じゃあ、気をつけて」

おじいさんは改札口に向かって歩き出し、女の子はその背中が見えなくなるまで手を振っていた。

女の子の腕が下りたところで、ぼくは踏み出した。

真後ろに立つ。

振り返った瞬間、解放された安堵にとろけていた女の子の顔が引きつり、呼吸が止まった。

「サワグチさん。それ、本名?」

女の子の目に激しい恐怖が広がった。ぼくの口調が、『Q』のフロアにいたときとは明らかに違っていたからかもしれない。

唇が動き、何度か空振りしたあと、ようやく言葉を絞り出した。

「……あなた、さっきの……」

ぼくは無言のまま立ちはだかった。彼女との距離はパーソナルスペースを著しく侵害しているといえるものだったけれど、後ずさりしない。

女の子の顔に戸惑いと、か弱い怒りが浮かぶ。

「あの──何？」

「ちょっと話をしたいんだ」

女の子は素早く何ごとかを呟いた。あなたと話すことなんてない、という意味らしかったが、声が小さすぎてぼくを脅す威力はない。

そのまま地下鉄の出入り口のほうに走って行こうとしたので、ぼくは彼女の腕を摑んだ。

「はなっ……！」

もがこうとした女の子の鼻先に、ついさっき撮影した写真を突きつける。

顔色と同時に、抵抗が失われた。

だがすぐに、ぼくの手を振りほどこうとする動きだけは復活する。

「この写真だけならたいしたことはないかもしれない。けど、あの店の名前と一緒に学校の名前も報告したらどうなる？」

腕の動きは止まり、彼女は震える声で言った。

「そんなこと……。だけど、あなただっておなじ店で働いてるんだから……」

「うん。でも、ぼくはどうなってもいいんだ」

そのときぼくは自分がどんな顔をしているのかまったくわからなかった。

だが、彼女を怖がらせる効果はあったらしい。腕から力が完全に抜けて、今にも泣きそうな顔になって尋ね返された。

「何がしたいの……？」

女の子の腕を摑んだまま答えた。

「話をしたい」

4

彼女は従ってくれたが、未成年者が学生服姿で立ち話できる時間ではない。

ぼくは結局、彼女がおじいさんと歩いた通りに戻り、最初に目についたホテルに入った。

こういうところも、昔と同じ目的で利用する人は減ったという。ロビーから廊下を通る途中、聞こえてくるのは外国語ばかりだった。

「本当に話すだけだから、安心して」

割り振られた部屋に踏み込むと、ぼくはドアを背に立ち尽くしている彼女に呼びかけた。

室内は赤一色で、キングサイズのベッドの布団だけが白い。明かりはすべてを点けても部屋全体が照らされることはなく、それでいて、ガラス一枚で区切られたバスルームはやたらと広く、明るかった。

ぼくは自分の生徒手帳の、顔写真と名前があるページを開いて彼女に見せた。

「サワグチって名前は本名？」

彼女のほうは身分証を提示するようなことはしない。けれど、名前に関しては認めた。難しい方の澤に口と書くそうだ。

「それで、何の話？」

澤口は腕を組み、扉に寄りかかったままぼくを睨んだ。

いつでも逃げ出せる位置だが、さっきの写真もあるしとりあえず話は聞いてくれるだろう。

ぼくは部屋の奥まで進み、ベッドの縁に腰を下ろした。

「鈴木菜月という名前に、心当たりは？」

澤口の顔に表れた変化がぼくに答えをくれた。

彼女は組んだ腕もそのままに、身動きひとつしなかったが、背中を強く背後の扉に押しつけたのがわかった。

「知らな――」

「嘘はやめてくれ。その制服は菜月の学校の制服だ。それに、あの学校は学年ごとにスカーフの色が違う。君と菜月はおなじ学年だったはずだ」

ここから先は言わなくてもわかるはずだ。少子化のご時世、ひと学年の人数は五十から六十人もおらず、クラスは二つか三つ程度。ぼくの学校がそうであるように、選択授業では他クラスと合同になる。おなじ学年の生徒とはいやでも顔見知りになるはずだ。

澤口の顔を覆った驚きは、すぐに諦めの表情に沈んだ。それから、控えめな好奇心を瞳に灯して尋ねてきた。

「あなたは……鈴木さんの……何？」

「恋人だよ」

言い切った途端、彼女は息を呑み、顔を背けた。

そのまま自分の内側を巡る感情と戦うように黙っている。

ぼくはもう一歩、彼女を追い詰める手札を切った。

「菜月があの店に出入りしていたことを、ぼくは知ってる」

澤口は唇を震わせた。誤魔化すための嘘を組み立てようとしたが、できなかったのだろう。

さらに、逃げ場を切り落として行く。

「菜月はぼくが気づいていたことを知らなかった。話し合いをしたかったけど、迷っているうちに彼女は死んだ。警察は事故だと言うけど、ぼくは信じない。菜月を死に追いやった人間がいるとしたら、手がかりはあの店にある。だからぼくは来た」

澤口は顔を背けたけれど、ドアノブには触れなかった。その姿はぼくが口にした恋人という一言に、そこに含まれている意味合いに、慄（おのの）いているようにも見える。

「菜月が死んだ夜、君は『Q』にいた？」

澤口の唇が開き、すぐに閉じ、それからぽつりと言った。

「……おなじ日には行かなかった……」

「なぜ？」

澤口はふたたび口を閉ざした。

ぼくは立ち上がった。ベッドがきしむ音を聞いた澤口は顔を正面に向けた。身構える彼女の眼前にスマホの画面を突きつけてやる。

見せたのはさきほど撮影した写真ではない。昨日、ロッカーの中で録画した動画の一部だ。録画機能のある装置は今時、あらゆるモノに擬態している。例えば、学生の鞄に下がっていて違和感がないキーホルダーとか。

ロッカーの扉を開けたのは、まさに今甘いと罵ったフロントの白髪女性。彼女はほくの鞄を漁っている。女性は生徒手帳や財布の中の健康保険証を持ち出し、五分ほどで戻って来る様子がきちんと映っていた。

「スタッフ用のロッカーは指紋認証式だけど、マスターキーがあれば開けられる。でも誰も、そんなことまでされるなんて考えないよね。未成年者を雇うとき、店側は本人の身分証のコピーを役所に提出する義務がある。でもこんなふうに、本人の知らないところで盗むってことは」

　ぼくはわざと言葉を切って、澤口の心に恐怖が沁み込むのを待った。

「『Q』の経営者は手に入れた情報を使って、学生たちを脅していたんじゃないか？」

　澤口の全身を覆う緊張を観察しながら続ける。

「いろんな想像ができるよ。バーテンは真面目な子ほどいなくなるって言ってた。もちろん、小遣いを稼いで消える奴が大半だろう。でももしかしたら、他の理由もあったんじゃないかって。あの店は出入り口に料金表示がなかった。会員制だから、一見の客のために金額を表示する必要がないんだ。一度だけで来なくなった若者に、盗んだ個人情報を使ってあとから連絡して、店のことは言うなと脅すことだってできる。でも他にもできることがあるよね。たとえば、得意客のために若者を使ったオプションを提供するとか」

　ぼくは駅前で撮った澤口とアダチ老人の写真を表示した。

　途端に澤口はぼくの手からスマホを叩き落とした。過激な反応は、ぼくの言っていることがすべて正しいと語っている。

　ぼくは画面が下になったスマホを拾い、自分のポケットに入れた。

「断れないと、どんどんひどいことをさせられるよ」

「……でも、だけど」うつろに呟くが、ぼくと目は合わせない。「友達を呼んだら、辞めていいって……」

「友達？」その言葉にぼくは、やや過剰に反応した。「菜月のこと？」

そんなはずはなかった。

菜月が友達はいないと言っていたからではない。

本当に友情を感じている相手だったら、危険なアルバイトに誘うわけがない。ただの顔見知りだから、危険な目に遭わせても罪悪感を持たなくて済む相手だから、菜月に声をかけたのだ。

込み上げてくる感情に蓋をして、ぼくは質問の矛先を替えた。

「菜月を誘い込んだのに、どうして辞めてないの？」

澤口は一気に吐き出した。

「鈴木さんが私の代わりにならなかったってオーナーから言われて、戻った」

「そのオーナーは、受付にいつもいる女の人？」

澤口は浅く顎を沈ませた。

「率直に答えて欲しいんだけど、君はおじいさんたちを相手に売春をしてるの？　おじいさんたちは君を買って、その金を店側に渡してる？」

言葉による肯定も、頷きも返ってこなかった。

だがあきらかに澤口は何かを言いかけている。

ぼくは言葉で彼女の心を押した。

「こういうことをされているのは君だけじゃない。君が知らないだけで、今まで何人も犠牲になっているはずだ」

「だからって……」澤口は何かに気づいた顔になり、問いかけてきた。「この話、誰かにもした？　警察とか」

「してないし、しない」

「本当に？」

「絶対に。だから真実を教えてくれ」

長い沈黙が落ちた。

誰かが廊下を歩く足音が聞こえる。理解できない異国の言葉を喋る男女の声が、もつれあいながら流れてドアの開閉音のうしろに消えた。

その音声に背中を押されたように澤口は顔を拭い、打ち明けた。

「たぶん、そう。前に相手をしたおじいさんは、お金はオーナーに渡すからって言ってた。オーナーは私に一万円くれた」

若者には希少価値があるが、本人たちの経済状況はこの国の貧困層の割合を反映している。

ぼくはただ、顔を背けた。


ホテルの出口をくぐった直後、澤口はぼくに尋ねた。

「本当に、警察には言わないの？」

ぼくは頭を振った。

「正義の執行には興味がない。もっと別のことをするつもりだから、心配しないで」

「別のことって……？」

「君には関係がない」

ぼくたちはホテルを出た。

念のために別々の道で駅まで帰ろうと提案し、ぼくのほうが遠回りになるルートを選択した。澤口は小走りに夜道を行きかけたが、暗い道の途中で立ち止まり、ゆっくりと戻って来た。

怖いから一緒にと言われるのかもしれないと、ぼくは黙って待った。

目の前まで来た澤口は硬い表情を張りつけていた。

「あなたオーナーを殺すつもり？」

胸を突かれた気がした。

すべての感情を押さえ込み、ぼくは言った。

「……そうだと言ったら？」

「鈴木さんのために？」

「かもしれない」

「捕まるよ？」

「たぶんね。べつにいい」

澤口は潜水するときのように息を吸い込んだ。

「私にも手伝わせて」

「何言ってるんだ」

澤口は一歩詰め寄り、胸に詰まっているものを吐き出す勢いでまくしたてた。

「私のせいだから。私が鈴木さんを巻き込んだ。このままじゃ一生後悔する。証拠隠滅でも、アリバイ作りでも、何でも手伝う。お願い」

最後の言葉を口にするとき、澤口は両方の拳を固く握りしめた。淡い街灯に真剣な顔が照らされている。その目は決して引き下がらないと言っていた。

ぼくは容赦なく尋ねた。

「今更そんなことを言うなら、どうして菜月に声をかけた？　どうでもいい相手だから選んだということはわかる。でもそれだけなら他にもいたはずだ。その中から菜月を選んだのは、なぜ？」

痛みを感じているような表情を浮かべた澤口の心に、ぼくは次なる殴打を与えた。

「正直に言ってないと判断できる答えを返したら、君とは一緒にやらない」

澤口の目に、侮辱された怒り、悲しさ、そして諦めが次々と浮かび、最後に開き直りの反発が現れた。

「あの子、友達がいなかった。でも、そんなこと気にしてなさそうで……そういう強さが羨ましかった」

5

ぼくは澤口にオーナーを呼び出してもらうよう頼んだ。「相談したいことがある」と告げて、オーナーに指定された場所で待てばいい。菜月が薬物を盛られたのは人目につかないどこかであることは間違いないし、時間帯からいっても、菜月が死んだ場所からしても『Q』の店内ではない。

澤口を待たせる場所。

そこが犯行現場だ。

ぼくは澤口の連絡先を訊かなかった。その代わりぼくのスマホの番号を紙に書いて渡し、公衆電話から連絡してくれるように頼んだ。

翌日の深夜零時、ぼくのスマホが鳴った。

「澤口さん？」

「……うん」

「どうだった？」

「オーナーとは、明日の夜十一時に話をすることになった。場所は青山通りの近くのエイセイビルっていう建物のそばの、月極(つきぎめ)駐車場だって。そこなら目立たないし、パトロールのおまわりさんが来ても隠れられるからって……」

「そう。じゃあ、駅で待ち合わせしようか？」

「ううん、いい」

女の子一人に夜の渋谷を歩かせるなんてと思ったが、無理強いはできない。

「わかった。じゃあ三十分前にその駐車場で」

「うん。あ、待って」

「何？」

「……鈴木さんのどこが好きだったの？」

ぼくは黙って通話を切った。

翌日、昼間のうちに雑司が谷のおばあちゃんに電話をした。わざと家族がいるところで掛け、今夜行くね、と話したせいか、夜には微笑ましく送り出された。まったくうちの家族ときたら緊張感がない。

おばあちゃんの家を出て、雑司が谷駅から地下鉄に乗ったのが夜十時少し前。渋谷駅に着いたぼくは、『Q』に行くときとは反対側の出口に向かう。

指定された場所には、澤口との約束の時間よりも十分早く着いた。

地図で確認した栄静ビルは青山通りから一歩入ったところにあって、今は一階にあるカフェ以外にテナントは入っていない。そのカフェも夜十時には閉まってしまうので、ビルの隣にある駐車場は真っ暗だった。

駐車場を挟んだ隣には、骨組みだけのビルがある。建設中なのか解体中なのかはわからない。囲いもなく、剝き出しのままだ。最近は工事現場の人手不足が深刻で、高齢化も進んでいるため事故が多く、しばらく作業が中断されることもある。ここもそうしたアクシデントに見舞われたのかもしれない。

道路には街灯はあったが、電灯は切れている。そのため周囲は真っ暗だ。

黒い沼のような暗闇で待っていると、かすかな足音が近づいて来た。

足音はすぐ近くで止まった。

「澤口さん?」

問いかけても相手の顔は見えなかった。輪郭が若い女性だったのと、こんな時間にここに来る人物ということで判断した。人影はびくりと一歩退いたが、すぐに応えた。

「うん、私。早かったね、まだ約束の時間まで五分くらいあるのに」

手が届く距離まで来て、ようやく澤口の様子が見えた。性別がわかりいくい地味な色合いのジーンズとパーカーを着て、肩に手提げ鞄を掛けている。

澤口はぼくの全身をまじまじと眺めた。

「あっごめん」ぼくが目を眇めたのを、不快の表れと受け取ったようだ。「ただ、真っ黒な服着てるから、なんか……」

「殺し屋みたい?」

澤口は苦笑と不安の中間の表情を浮かべた。

「そんな感じ」

「やろうとしていることは同じだよ」

ぼくは駐車場のもっとも暗い隅を指した。

「ぼくはあそこに隠れる。君はこの辺にいて。『Q』のオーナーが来ればすぐにわかる。オーナーが現れたら、ここじゃ人が通ったときに目に入ると言って奥に連れて来て。そこからは、ぼくがやる」

　ぼくは両手の指を順繰り（じゅんぐ）りに動かした。

「素手で首を絞めるの？」

「うん」

「バレちゃうよ」

「だろうね」ぼくは笑って見せた。「捕まっても構わないって言ったろ。どうせ未成年だから名前は出ない。君はすぐに帰ればいい。警察でも、君のことは言わないよ」

　澤口は黙ってぼくの手元を見つめた。ぼくは、すぐにその視線の意味に気づいた。

　ポケットからスマホを取り出す。

「写真？」

　澤口は、黙って頷いた。

「すべてが片付いたら消す。それまではだめだ。今君に逃げられたら、オーナーを捕まえられないかもしれない」

「わかった。これ、どうぞ」

　そう言って澤口が押しつけてきたのは黒い水筒だった。

「何これ？」

「コーヒー。寒いし、眠気覚ましになると思って」

「気を使わなくていいのに……」

澤口は頭を振り、そのまま会話を断ち切るように横を向いてしまった。

ぼくは腕時計を確認した。

ライト付きのアナログ時計は、夜十時四十分を指している。

位置につくことにした。

駐車場の奥へ進むと、暗闇は質量を帯びて纏いつくように濃くなった。駐車場の裏手にも建物が聳えているが、明るいところがひとつもないので何のビルなのかわからない。こうしていると人類は、自分たちが入るための避難所を一生懸命に作っている最中に、ぷっつりと滅んだみたいに思えてくる。

駐車場の壁際で屈むと、道路の縁に立っている澤口の姿がよく見えた。こちらに背中を向けて、じっと腕を抱えている。寒いのかもしれない。実際、十月の夜は冬の気配に侵食されていた。

ぼくは水筒の蓋を開けた。

プッシュタイプの蓋で、直接口をつけて飲むことができる。音を立てると、澤口がそっとこちらを振り向いた。

ぼくは水筒をほんの少し掲げて、君も飲むかと尋ねてみたが、澤口は一切のジェスチャーを見せることなく正面を向いてしまった。

そのまま、時が過ぎた。

ぼくは暗闇の重さを感じ、脚の痺れを誤魔化すために何度か体勢を変えた。そのたびに軽くなった水筒の中身が音を立てるので、地面に寝かせた。

腕時計を確認すると、十一時を五分過ぎていた。

澤口が近づいて来る。

こっちに来ちゃだめだと言おうとして、ぼくは息を呑んだ。

澤口の塗り潰されたシルエットの手元に、きらめく刃物を見たからだ。

「鈴木さんのこと、もうちょっと話したくて」

ぼくは唇を動かしたが、声は出せなかった。

「鈴木さんには友達がいなかった。それを気にしないでいられるのが羨ましくてあの子を誘ったと言ったけど、あれは半分、嘘。鈴木さんに友達ができない理由、あなたは知ってる？」

ぼくは頭を振った。

「彼氏のくせにわからなかったんだ。彼氏だからかな。鈴木さん、いつも正しすぎた。誰かが誰かの悪口を言うとね、そんな汚いことやめなよって言うの。どんな人にでも欠点くらいあるでしょって。正論なんだけど、みんな嫌がるよね。昔からそんなだったって、おなじ中学出身の子が言ってた。ああいうの、義憤、っていうの？　正義のために怒る――汚してみたくなって、アルバイトに誘ったの」

ぼくはまた口を動かした。澤口を罵る言葉を吐いたつもりだったが、声は彼女には届かず消えた。

澤口は少し笑い、続けた。

「遊びに行こうって誘って、『Q』に連れてった。すぐにただの店じゃないって気づいたみたいだったけど、意外にも帰るって言わずに馴染んだのね。それを見て私は、こんな子でもお金は欲しいんだって思ったんだけど、違った。鈴木さんは『Q』がどんな店か確かめて、私を止めようとしてきたの。やめないなら学校に言うって。だから、話し合いをしようって言って、あなたが飲んだコーヒーに仕込んでおいたクスリとおなじものを飲ませた。でも、死なせるつもりじゃなかったのよ。『Q』みたいな店に通って、ドラッグまで体に入れたとなれば、私のことを通報したりできない。なによりもう前みたいにきれいな正論は吐けなくなると思ったの」

ぼくは身動きせずに澤口が右手で握っているものを目で追った。

真っ暗だというのに、小型の刃物は月明かりを吸い寄せているように輝いている。

「クスリ、効いてきたでしょ？　今夜私は友達の家で勉強してることになってる。友達の家は代々木にあって、私はここに来るとき渋谷駅を使ってない。あなたがここで死んでも、私にまではたどり着けない。たぶん」

澤口が刃物を握り直し、光が変わった。

「もし警察が私を捕まえることがあっても、あなたが言った通り名前は出ない。天秤にかけると、このままあなたを放っておくほうが厄介だなって。だってもしあなたが鈴木さんを殺したのは私だと気づいたら、私のことを殺そうとするでしょう？　これも正当防衛よね」

刃物を振りかざした一瞬の隙を突いて、ぼくは彼女の横をすり抜けた。

よろけながら工事中のビルの鉄骨に隠れる。

そこは駐車場よりも暗く、ぼくは冷たい鉄骨に背中を押しつけた。

「逃げても無駄よ。どうせ走れないわ」

澤口の声が悠々と追いかけて来る。

ぼくは声を絞り出した。

「――君はオーナーに……命令されて……」

「オーナーは関係ない。あの人はただ、金を持った年寄りに遊び場を提供してるだけ。身分証をこっそりコピーしてるのは、あなたが想像した通り、来なくなった子の口止めのためよ。でもそれだけ。年寄りってほんと、腹が立つことをする……」

「だったら、なぜ」

「『Q』に来る連中の恰好を見たでしょう？　若い頃に金があって遊んだ連中が、今も豊かに暮らしながら楽しんでる。私たちが享受するはずだった幸せを、私たちが生まれる前にあいつらが盗っちゃったんだ。だから奪い返してやった。エロジジイには、若い女の子に好かれる夢を。ひとりぼっちのおばあさんには、優しい孫代わりを。信頼させてから裏切るの。あんたなんか好きになると思った？　って。そうするとね」

　澤口は天に向かって微笑んだ。

「みんな自殺するの。一人残らず、みんな。面白かった」

「君は……最低だ。おなじ時代に生まれていたら、君だってあんな青春を送ったんだぞ」

　澤口の声が苛立ちで膨らんだ。

「知らない」

　そう言いながらぼくを探している。ぼくの声は反響しているから、位置を探るのも難しいのだろう。

　澤口が背を向けた瞬間を狙って、ぼくは鉄骨の上部へ続く階段を這い上がった。

「なんで上？　馬鹿じゃないの」

　ぼくを発見した喜びに輝く声を背に、さらに階段を登る。三階まで来ると、月明かりが届いて、あたりは透明な明るさに包まれていた。

　鉄骨の端までたどりつき、ぼくはへたり込んだ。澤口はゆっくりと近づいて来た。

「刺そうと思ったけど、落としちゃおう。ドラッグもキメてるし、警察は事故か自殺で片付けてくれるよね」

刃物をパチンと折り畳み、彼女はジーンズのポケットに入れた。

次の瞬間、ぼくは跳躍した。

真横の鉄柱を一蹴りして高さを加えると、澤口の頭上を飛び越し、彼女の真後ろに着地する。

判断の隙を与えず、ぼくは澤口の背中を押した。

遮るものはない。

澤口の体は前のめりになり、鉄板を越え、それを支える鉄の骨組みの端から滑り落ちた。だがかろうじて両手で鉄骨に捕まり、落下は免れてしまった。

ぼくは引っかかっている澤口に近づいた。

「『なんで』？」

問いかけたのはぼくのほうだ。澤口は目と口を大きく開き、落命の恐怖に咬みつかれながら必死に鉄骨を登ろうとしている。しかし己の体重を引き上げるには、澤口の腕の力は弱いようだ。

ぼくは彼女を見下ろしたまま教えてやった。

「ぼくはコーヒーを飲んでいない。飲むふりをして、地面に零していた。そしてぼくには裏の顔がある」

一瞬だけ、澤口から視線を逸らした。

今夜は三日月。ぼくの名前でも、あのひとの名前でもない月の下で告白する。

「ぼくは久遠。殺し屋だ」

澤口の喉から掠れた音が漏れたが、悲鳴なのか戸惑いの音なのかは判断がつかなかった。

ぼくは澤口の指に爪先をかけた。もうひとつ、彼女についた嘘があるが、打ち明けてやる必要はない。

そのまま押して指を外させようとしたとき、しわがれた声が割って入った。

「やめてっ。もう、やめてあげてください……」

振り返ると、階段を登りきったところにおばあさんが座り込んでいた。

雑司が谷の家からぼくが連れてきた老婆だった。

6

「……児玉（こだま）さん」

と、ぼくはおばあちゃんの苗字を口にした。

その苗字はぼくの親族のものではない。

児玉さんは、久遠の依頼人なのだ。

「もういい。やめてあげて、久遠さん」

児玉さんは鉄骨の上にぺったりと座り込んでいた。高いところが怖いのかもしれない。それでも必死に、ぼくに向かって懇願する。

「そのお嬢さんを死なせないで。依頼は取り下げます」

ぼくはぶら下がっている澤口を見下ろした。

児玉さんの声が聞こえているのかいないのか、顔には恐怖だけが張りついている。

「なぜ？　さっきの告白を聞いたでしょう。この子はあなたの夫や他の老人たちを自殺に追い込んでおいて、まったく反省していない」

楽し気に犯行動機を語る言葉を、ぼくと一緒にここまで来て駐車場の物陰に隠れていた児玉さんは聞いていたはずだ。

「それでも。その人は若い。若い人を死なせるわけにはいかない……」

児玉さんの声に涙の湿り気が混じった。

「お願い、どうか……。警察が心配なら、誰にも言わないよう、あたしがそのお嬢さんに言い聞かせますから……」

ぼくはもういちど爪先で澤口の指を押した。澤口が、こんどは明らかに悲鳴とわかる声を上げる。

心の奥が熱く沸き上がった。

その温度に自分でも驚きながら、児玉さんに問いかける。

「依頼は、取り下げるんですね」

「はい。はい……」

深く息を吸い、ぼくは全身にみなぎる感情を堪えた。なんと呼ぶのかわからないその感情は、肉体の苦痛と大差ない。

ぼくに腕を摑まれると、澤口は獣のように叫んだ。気にせずに引っ張り上げる。鉄板の上に座らせると、澤口はガタガタと震えながら頽れた。

児玉さんに言って彼女を見ていてもらう。

その隙に地上へ降り、まだ半分ほど中身が残っている水筒を取って戻った。

児玉さんのそばで震え続けている澤口の髪を摑み、反射的に開いた唇にキャップを開けた水筒を突っ込む。そのままコーヒーを流し込んだ。咽てばたついたが、そんなこと構わない。最後まで飲ませ切ると、その場に彼女を倒した。

澤口は喘鳴を立てながらうずくまった。

「……大丈夫なんですか」

尋ねた児玉さんに、ぼくは「ええ」と答えた。

「ドラッグを飲んだ状態では、人に見つかってもぼくらのことは言えない。言っても妄想で片付けられる」

　それだけではなかった。

　ぼくは、菜月の体内から検出されたドラッグが致死性のものではなかったことを知っている。先々代の久遠が薬物を研究していたおかげで、そっちの作用については詳しい。あの成分では澤口だって死ぬことはないはずだ。

　ぼくは水筒を彼女の傍らに転がし、鉄骨の下を覗いた。十五メートルほどの高さだろうか。逆さまに落ちれば、まあ死ぬ。

　そのくらいの可能性を残すくらいは許して欲しくて、ぼくはすべてを話さなかった。代わりに、朦朧（もうろう）としている澤口の耳元に脅迫を吹き込んでから、児玉さんとその場を離れた。

「いいのかしら……？」

　歩いて渋谷駅へ向かう途中、児玉さんは尋ねてきた。

「何がですか？」

「この駅には監視カメラがあるでしょう。さっきの水筒だって、あなたは直接、手で触っていた。澤口さんがもし警察に行ったら」

　ぼくは掌を開いて見せた。

覗き込んだ澤口さんが、何かに気づいたようにあっという顔をする。

「保護フィルム。両手に貼ってあるから、指紋も掌紋もつかない。現場に何らかのDNAは残していると思うけど、捕まったらそのときだから」

「そのときって……」

「うちの家訓なんです。人を殺すのに、楽をしようだなんておこがましい。安寧はないと思えって」

「約束の他に家訓まであるのね」

児玉さんは小さく笑い、すぐに恥じらうように口元を隠した。

「おばあちゃんこそ、ほんとにいいの？　あの女はあなたの夫を弄んで、あなたにもつらい思いをさせたのに」

「もちろん、正直に言えば憎らしい。それでもあたしには、若い命は眩しく見えるんです。本当に大切なものに思えて……やめてと叫んでしまったの」

ぼくたちは一緒に地下鉄に乗り、雑司が谷まで戻った。自宅前まで送ると、児玉さんは何かを決意したように服のポケットからハンカチを取り出し、開いた。

明かりがない玄関前だったが、ハンカチの中にくるまれているものは見えた。

「これをあなたに。もちろん依頼料は全額お支払いします」

「依頼料はいらない。でも……」

恐る恐る、ぼくは差し出されたものを手に取った。

黒い軸の万年筆。

古いもので、とても軽い。

児玉さんを見ると、彼女は潤んだ目でぼくを見つめていた。児玉さんが生きてきた年数分、いや、それよりも長い年月の思いを込めた光が、瞳を揺らしている。

「ありがとう、久遠さん。あなたに会えて――いいえ。あなたが今もいてくれて、とても嬉しい」

ぼくは万年筆を握った。

「こちらこそ。児玉さん……」呼んでから、これだけでは足りないとわかった。

少し照れくさいが、言う。

「あなたの中の由美子さんの血にも、ありがとうと言わせてください」

児玉家を離れ、ぼくは街灯の下で立ち止まった。

握りしめていた万年筆のキャップを開けてみる。金色のペン先はひしゃげていた。話の通りだ、と思わず微笑みを漏らした。ぼくらの初代、のちに望を名乗ったほうが、これで最初の仕事をしたと聞いている。

初代の久遠は、彼らが殺し屋になるきっかけとなった女性、由美子に、二代目の久遠が生まれる際の審判を委ねた。そのときにこの万年筆も由美子に送ったという。まさか八十年以上経って、彼女の孫にあたる女性がふたたび久遠と関わるなんて想像もしていなかったに違いない。

万年筆を大切にポケットにしまい、ぼくは家に帰った。

7

自宅は浅草にある。

隅田川沿いの花川戸(はなかわど)、地上五階地下一階のビルがまるまる伯父のものだ。一階は、伯父が父の遺作を展示している画廊兼カフェ。二階が住まいで、三階から上は賃貸になっている。そして地下室には、久遠の仕事道具と資料が隠してある。

帰宅したとき、時刻はとうに午前零時を回っていたが、伯父は一階の画廊でぼくを待っていた。

「おかえり」

淡い月光が漂う室内で、伯父はコーヒーを飲んでいた。

ぼくはしばし、その姿を堪能する。とっくに四十を過ぎたはずなのに、伯父はしなやかな体つきをしていて、月明かりだけだとまるで青年だ。

ぼくは菜月の父親を思い出した。

彼も若々しかったが、うちの伯父ほどではなかった。伯父は若見えとかそういうレベルではなく、ある種時間を超越した雰囲気を持っている。

伯父の名前は久遠『朔』。ぼくが跡継ぎになるまでは望と名乗っていた。児玉さんと別れてから気づいたのだが、初代が久遠を名乗ってからもうすぐ百年になろうとしている。

「ただいま。電気つけないの？」

「うん。スカイツリーがきれいだから」

伯父は窓の外へ視線を遣り、糸を編み上げたような電波塔を見上げ、コーヒーを飲み干した。

「じゃ、行こうか」

ぼくたちは連れ立って近所のお寺に向かった。いまどき珍しくセキュリティの緩い寺で、墓地を囲む塀は簡単に乗り越えられる。もちろん監視カメラもない。

父の墓に着くと、伯父はタバコをくわえて火を点けた。軽く吸い、火口を明るくすると墓前に供える。喫煙者ではない伯父だが、これは父が、そして久遠が愛してきたタバコだ。

チョコレートのような香りの煙に包まれながら、ぼくは父の墓前で仕事の報告を終えた。

「そうか。君は澤口を殺さなかったんだ」

伯父の口ぶりが重いのも無理はない。

そもそもぼくは、菜月の仇を討つために依頼人を探したのだ。久遠は通常、依頼を受けてから標的に近づく。でも今回は順番が逆だった。

なぜなら菜月は、ぼくの双子の妹だから。

幼い頃に生き別れた彼女と、塾の夏期講習で再会したときは心底驚いた。双子といえど性別が違うぼくらはあまり似ていない。それでも別れたときは四歳だったから、完全に記憶から消えたりはしなかった。

まして菜月は、自分の人生の始まりにどんな人間がかかわっていたのかを覚えておくために、当時愛用していたスケッチブックにぼくの名前や本当の父親の名前を書いて保存していた。だからぼくと再会したとき、もしかして、と菜月は気づいたのだ。そのスケッチブックのページは、菜月からもらってぼくの手元にある。

ぼくたちの父は母と籍を入れていなかった。母が久遠の仕事を受け容れきれず、正式に結婚するのは待って欲しいと言ったのだ。それは双子が生まれてからも変わらなかった。むしろ母の悩みは深くなり、子供たちが四歳になったとき、父と離れる決意をした。

そのときにどんな話し合いが行われたのかは聞いていない。

結果としてぼくは父と伯父のもとに残り、菜月は母と行った。
母からの最後の手紙で、再婚することは聞いた。そして数年後、そっと見守ってい
た父の情報網で、母が不治の病にかかったことがわかった。
血の繋がりのない家族と暮らすことになる菜月を父は心配したが、今更近づこうと
はしなかった。
その父も去年亡くなった。
殺し屋らしい壮絶な最期、ではなかった。
表向き画家として活躍していた父は、近所を散歩中にたまたま車道に飛び出した犬
を庇って事故死した。現場を目撃したのは飼い主の少女。ぼくとおなじ年頃の、言い
換えれば、菜月くらいの。父の葬儀で泣きながら謝罪した少女に伯父は、犬が助かっ
て良かったですと微笑んだ。
その菜月が死んだ。
ぼくと伯父は、ぼくが一度だけ見た菜月と『Q』の接点を元に菜月の死の原因を追
跡し、澤口にたどりついた。澤口と、『Q』に出入りしていた老人の自殺。数人いる
被害者の遺族の中に、久遠が生まれるきっかけとなった女性の子孫がいることに気づ
いた伯父は、彼女に声をかけて依頼人になってもらったのだ。
最初はただ、あなたの夫を自殺に追い込んだ犯人を知っています、と言っただけだ

った。

だが児玉さんは、久遠の名前を出した途端、打ち明けた。

祖母から聞いています。祖母の人生を救ってくれた殺し屋の物語を、と。

伯父はぽつりと漏らした。

「なんだか、集大成みたいだなって思ったんだよね」

「……というと？」

「菜月のことはまだともかく。由美子さんの孫と再会する——再会というのは違うかな。由美子さんの血とまた関わることになるなんて不思議だろう？　運命か何かが、クライマックスをあげるから、久遠はここで終わりにしなさいって語りかけているような気がして。だから新しい久遠である君が、もしかしたら約束のどれかを破るんじゃないかって思ったんだ。そうなっていたら、久遠はここで終わりだから」

ぼくは顎を沈め、父と伯父から叩きこまれた『五つの約束』を心の中で唱えた。

依頼人には必ず会うこと。

できるだけ苦しませずに殺すこと。

相手が絶命するまでその目を覗き続けること。

誰かを救う殺しであること。

そして。

「——久遠のために殺してはならない」

最後のひとつだけは声に出した。

伯父が頷く。

ぼくは、この約束がもっとも厳しいと思う。久遠のための殺し、つまり、久遠本人の私怨による殺人を禁じたのだ。ぼくたちには先祖たちから受け継いだ殺しの技術があっても、自分の憎い相手には手を出せない。依頼人の無念を肩代わりし、人殺しという拭い去れない汚れを引き受けるだけ。それが久遠になるということ。だから、菜月の仇を討つためには、児玉さんの依頼が必要だったのだ。

「もし君が、約束を破って澤口を殺していたら。そうしたら久遠は君で最後だった」

そうなのだ。初代の久遠が五つの決まり事を作ったとき、跡を継ぐ者が現れるとは想定していなかった。だからなのか、初代は二代目に久遠を譲る際、決まり事のどれかを破ったら、そこで久遠はおしまいにするよう固く命じた。初代の遺言を、ぼくらは暗闇の中の灯火のように守ってきた。

ちょっと気になって、ぼくは訊いた。

「そうなって欲しかった？」

伯父は横顔のまま微笑んだ。

「……どうかなあ」

最後に、敷地内にある無縁仏の墓にも立ち寄った。ここにはビクターと名乗っていた死体仲買人も眠っている。伯父はそこにも、タバコを供えた。

ぼくたちは来たときとおなじ方法で墓地を出た。

「あ。これ、お墓に置いてくれれば良かったかな」

歩きながら、ぼくは伯父に例の万年筆を見せた。

伯父は恭しく受け取り、キャップを外して頭上に翳(かざ)した。空はぼんやりと白んできている。ひしゃげたペン先は、月よりも明るく輝いた。

「君が持っていればいい。そしてまた、次の久遠に渡せばいいよ」

「ええ……？　次ができるかどうかわからないよ。ぼくみたいなやつの子供を産んでくれる奇特な女性がいるとは思えないし。弟子だって現れるか」

「朔にだって子供がいるんだ。君なら一人や二人や五人や十人」

伯父は朗らかに笑った。現在の朔は自分なのに、伯父はいまだに亡き弟が長年名乗り続けてきた名前で呼ぶ。

「産むのはぼくじゃないんだから、そういう冗談は笑えない」

伯父は声こそ消したが、にこやかな表情は変わらなかった。

万年筆を収めたぼくに、伯父は尋ねた。

「菜月のご家族はどうだった？」

葬儀から数日が経っているのに今更訊くのは、やっと質問ができるほど落ち着いたということなのかもしれない。ぼくは丁寧に記憶をたどって答えた。

「悲しんでらしたよ。菜月の叔父さん、ほら、ボクシングジムをやっているっていう。あの人なんか、もし菜月の死の真相を知ったら犯人を殺しに行きそうだった。お義父さんは、丁寧な方だったけど、深く落ち込んでいたね」

「菜月は幸せだったんだな」

ぼくは菜月の笑顔を思い出した。

「……そうだったと思うよ」

それだけではない。

一緒に過ごした短いあいだに、ぼくはあることを感じていた。澤口も言っていたが、菜月は自分の正義に忠実だった。頑張ってそうしているのではなく、性格だったのだ。彼女にとって悪口は娯楽ではなく、危険な行為は止めるべきもの。澤口の誘いを受けたのも、未成年者に危険なアルバイトをさせている店を許せないという、まっすぐな気持ちが動機だったはずだ。

ぼくは菜月のそういうところを見て、もし父のもとに残ったのが彼女のほうだったらと考えた。

菜月には久遠のことは話さなかった。菜月が久遠の名前を一言も出さなかったから、ぼくたちの母は父の秘密を守って死んでくれたのだとわかったせいだ。だが心のどこかでは、このまま一緒にいられたら、菜月にぼくの朔になってくれないか頼んでみようかと考えていた。でも同時に、ふつうの社会に暮らす菜月をこのままにしておきたい気持ちもあって、ふたつの可能性の隙間で迷うのは甘い心地がした。

何も打ち明けられないまま、菜月は逝った。

菜月の家族はぼくを彼女のボーイフレンドと勘違いした。ということは、菜月は双子の兄との再会を、家族にも黙っていたはずだ。母の葬儀にさえぼくたちは参列していないから、気づかれないのは不思議ではない。

菜月がぼくのことをどう考えていたのか、今後もつきあいを続けるつもりだったか、それとも短期間の交流で別れるつもりだったのか。今となっては知る術はない。

ただ、ひとつだけ。

『Q』での危険なアルバイトのことを、相談してもらえなかったのは残念だ。

「帰ったら何か食べて眠ろう。今日は画廊もカフェも休業だ」

「いいの？」

「疲れちゃったよ。久遠の最後を見届けて拍手を送るつもりだったのに、パート2へ続くってなるとはね」

ぼくは笑ったが、確かに体には疲労が蓄積していた。

足を止めて伸びをしたとき、前を行く伯父の後頭部に一筋の白髪を見つけた。

一瞬、寂しさが胸を過ったが、それはすぐに風に似た感覚が吹き飛ばした。

父と伯父は久遠の歴史上初めての、血の繋がった跡取りだったと聞く。それまでは血縁のない師弟関係だったそうだ。だからぼくで三人目ということになる。

ぼくが大人になったら久遠を継ぎたいと申し出たとき、二人はなぜなのかと訊いた。あとにも先にも、彼らのあんなに厳しい顔は見たことがない。

ぼくは正直に、久遠に存在し続けていてほしいからだと答えた。だってそうだろう。初代から父と伯父まで、彼らの罪は数えきれない。けれど、救った人もたくさんいる。その人たちは生きて、誰かを幸せにしたはずだ。久遠が送り出した祝福は百年の時の中にたくさん散らばっている。こんな殺し屋、他にいない。

父と伯父は瞳の色を深くして、自分たちとおなじ理由だ、と教えてくれた。

さすがはおれの息子だな、と父は言ったけど。それは違う。

血の繋がりが逃れようのない宿命なら、自ら選んで繋がっていく運命があってもいいはずだ。こんなに長く続いた過去でも、将来があるとは限らない。未来はひたすら広がり続ける海のようだ。

その海原に浮かぶ久遠という名の船にぼくは乗っている。

「こんど花を持って行こうね」

「朔の墓に？　あいつ、風景画ばっかりで花の絵は少ないよ」

「そうじゃない。菜月のお墓に」

「それは嫌だ」

「なんで？」

追いついたぼくは、伯父の目に浮かぶ涙に気づいた。

「お墓に行ったら死んだって納得しちゃうだろ」

ぼくは呆(あき)れて、ちょっと笑った。

「……殺し屋なのに？」

解説

大矢博子（書評家）

本書は二〇二〇年十月に刊行された『エターナル』を改題したものである。

永遠の、不変の、という意味を持つEternal。その言葉を体現するかのような、「久遠」という名を持つ殺し屋を巡る物語が五編、収められている。

殺し屋というのはエンターテインメントの世界ではとても人気のあるモチーフで、たとえば小説なら池波正太郎〈仕掛人・藤枝梅安〉シリーズ、逢坂剛〈百舌〉シリーズ、伊坂幸太郎の『グラスホッパー』に始まるその名もズバリ〈殺し屋〉シリーズ、伊藤計劃『虐殺器官』、漫画ならさいとう・たかを『ゴルゴ13』という金字塔的作品から最近大人気の遠藤達哉『ＳＰＹ×ＦＡＭＩＬＹ』に至るまで――時代物ありＳＦありミステリあり、コミカルなものからシリアスなものまで、ジャンルや時代を問わず多くの名作が生み出されている。

日野草もまた、殺し屋というモチーフを愛する作家のひとりだ。本書以前にも、『ウェディング・マン』（講談社文庫）で殺し屋を、ドラマ化もされた〈ＧＩＶＥＲ〉シリーズ（角川文庫）でも殺し屋に近い復讐代行業を扱ってきた。

だが今回の『エターナル』改め『殺し屋の約束』には、これまでの作品にはない趣向が用意されている。そこには著者のある思いが込められており、同時に、著者がこれまで描いてきた殺し屋小説とは一線を画す大きな要因となっているのだ。

それは何か。第一話から見ていこう。

第一話「ギフト」の語り手は、幼い頃に両親と妹を交通事故で亡くし、祖父母に育てられた赤澤咲子（あかざわさきこ）。その祖父が亡くなるまえ、咲子の誕生日にサプライズを用意したと言い残した。その事故を起こし、咲子から家族を奪った人物を殺してもらうよう、殺し屋を頼んだというのだ。ただし本当に殺すかどうかは、今の加害者の様子を見たうえで咲子自身が決めろと言う。

事故を起こしたドライバーは当時未成年だったため量刑が軽く、現在はペンションを経営している。咲子は久遠と名乗る殺し屋の手配で、身分を偽ってそのペンションでアルバイトをすることに。加害者は結婚し、小さな子どももいて幸せそうだった。果たして咲子の決断は――？

まず、独立した短編として、とてもよく出来ていると言っておかねばならない。

若く美しく、謎めいた久遠という殺し屋の魅力ももちろんだが、「殺すかどうかは自分で決める」という設定がいい。憎しみやわだかまりはもちろんある、けれど加害者には家族がいる。特にまだ小さな子どもがいる。自分が決断すればこの子から親を奪うことになる。家族を奪われた主人公が、他者の家族を奪う決断ができるのか。読者はまずそこに目を惹（ひ）かれるだろう。そして、読者の中には「なるほど、これは赦（ゆる）しの物語なのだな」と先走る人もいるかもしれない。

だが、しかし。本編の本領は、咲子が迷い始めたその先だ。一筋縄ではいかないのである。具体的に書くのは控えるが、物語は予想したようには進まない。まったく意外な方向から矢が飛んでくる。しかも何度も。一話の中にどれだけのどんでん返しを仕込むのかと驚いたほどだ。サプライズに満ちたミステリとして、とても上質なのである。

しかも驚くべきことは、このよくできたミステリは、この後に続く物語の序章、入り口に過ぎないということだ。

第一話の舞台は二〇一九年。現代、と言っていい。ここから第二話はバブル末期の一九九一年。第三話は高度経済成長期の中にあってオリンピック景気が終わった一九六五年、第四話は終戦直後の一九四五年と、時代を遡っていく。そして最終話となる第五話は一気に二〇四〇年の未来へと飛ぶ。

第二話「月が昇る」は、元同級生に脅されている青年が主人公。小学校時代にある秘密を知られたのを機に、彼の言うがままになっている。そこで久遠に殺しを依頼するが、その返事はなぜか一時保留された。

第三話「ホーム・スイート・ホーム」は、人生に倦んで自殺を考えていた青年が、たまたま久遠の殺しの現場を目撃したことで彼に憧れ、弟子入りを志願する物語。

第四話「久しく、遠く」は戦災孤児の少年が医者の息子と出会い、一時的に居候させてもらう話。しかしその家にはどこか奇妙なところがあった。

そして第五話、「未來」は超高齢化が進んだ二〇四〇年、ドラッグで朦朧としたまま交通事故死した少女の死の秘密を探るため、少年がある場所に潜入する。

どの話も、複数のどんでん返しが仕掛けられ、最後までまったく予断を許さない。

犯罪に巻き込まれる話があったかと思えば、手紙の形式で語られる話もある。依頼者の話もあれば、殺し屋側の話もある。薬を使うケースもあれば、別の武器を使うこともある。その趣向はバラエティに富み、けれど極めて上質かつテクニカルなサプライズが味わえるという共通点を持つ。いやほんと、この怒濤のどんでん返しはすごいぞ。よくぞこれだけひっくり返せるものだ。

さらに、どの話も舞台となった時代が生き生きと描写されることにも注目。バブル期のディスコのＶＩＰルーム。ＤＮＡ鑑定などなかった昭和中期。戦後の闇市。そして未来の、「傾きすぎて、もう立て直す術はない」日本。

およそ百年の時を駆ける、壮大な物語である。そして最大のポイントは、五話すべてに殺し屋の「久遠」が登場するということだ。

もちろん、普通に考えてありえない。つまり「久遠」はひとりではないのだ。第一話ですでにそれは明かされている。第一話で赤澤咲子と対面した久遠は、殺し屋は「家業」であるとはっきり告げている。「親の仕事を継いだ」「半世紀以上に亘って培われた技を伝授された」とも。第二話の久遠は、登場したその瞬間から、あきらかに

第一話の久遠とは別人だと読者にはわかる。第三話も然り。いわば本書に登場する久遠たちは、その名を「襲名」していくのである。

本書がこれまでの殺し屋小説と違うのはここにある。なぜ殺すのか、どう殺すのか、依頼者にはどんなドラマがあるのか、という視点で読んできた読者の意識は、次第に「久遠って何」というテーマへシフトする。そこに登場するのが第四話である。これは「久遠」の出発点だ。そして第五話は、第四話と対を成す形で「久遠」のその後が描かれる。第三話までは殺し屋稼業の連作として読めるが、第四話・五話で物語は大きく転換するのだ。そして、その転換こそが本書の要である。

さきほど各編の内容を簡単に紹介した際、第四話と五話には久遠の名前が出てこなかったことにお気づきだろうか。どこに久遠が出てくるのか、それを楽しみにお読みいただきたい。久遠が苗字ではなく、殺し屋になった時点で受け継ぐコードネームであることで可能になった仕掛けが用意されている。

なぜ著者はこのような「襲名する殺し屋」を生み出したのか。ひとつの時代で、ひとりの久遠が複数の案件をこなす構成ではなぜだめだったのか。

それはこの物語が、変化する時代の中で変化しないものの物語だからだ。

誰かを殺したいという感情は、悲しいかな、どの時代であっても生まれるだろう。だから「久遠」がいる。だが、各編それぞれで描かれる、久遠の「殺し方」をじっくり味わっていただきたい。いわゆる殺し屋とはちょっと違う。人の死とは何を意味するか、そして久遠が何のためにこの仕事をしているのかが、次第にわかってくるはずだ。

そして読者は気づくことになる。殺したいという感情が時代を問わないのと同じくらい、誰かに幸せでいてほしい、救われてほしいという願いもまた、時代を問わず存在するのだと。食べるものにも困った戦後の混乱期にも、狂乱のバブル期にも、もちろん未来にも、人の幸せを願う気持ちは存在し、それは受け継がれていく。第四話と第五話が隣り合わせのように描かれていることが、その証左だ。「久遠」の名前が世代を超えて受け継がれるように、人の願いも受け継がれていく。そんな希望が、この連作からは立ちのぼってくるのだ。この希望こそが著者の描きたかったことではないだろうか。

久遠はそのために、自らに枷(かせ)をはめる。

なんと悲しい殺し屋だろう。

そして、なんと優しい殺し屋だろう。

時代が変わっても、人の願いは変わらない。願いは、希望は、受け継がれていく。それを著者は、この「襲名する殺し屋」を通して描いているのである。